U0101624

(宋)周密輯

絶妙好詞箋

廣陵書社

中國·揚州

圖書在版編目（CIP）數據

絕妙好詞箋 / (宋) 周密輯. -- 揚州 : 廣陵書社, 2011.2（2018.1重印）

（文華叢書）

ISBN 978-7-80694-671-8

Ⅰ. ①絕… Ⅱ. ①周… Ⅲ. ①宋詞－選集 Ⅳ. ①I222.844

中國版本圖書館CIP數據核字(2011)第023905號

絕妙好詞箋

輯　者　(宋)周　密

責任編輯　方慧君

出版人　曾學文

出版發行　廣陵書社

社　址　揚州市維揚路三四九號

郵　編　二二五〇〇九

電　話　(〇五一四)八五二二八〇八八　八五二二八〇八九

印　刷　常州市金壇古籍印刷廠有限公司

版　次　二〇一一年二月第一版

印　次　二〇一八年一月第三次印刷

標準書號　ISBN 978-7-80694-671-8

定　價　壹佰捌拾圓整(全叁册)

http://www.yzglpub.com　E-mail:yzglss@163.com

文華叢書序

時代變遷，經典之風采不衰；文化演進，傳統之魅力更著。古人有登高懷遠之慨，今人有探幽訪勝之思。在印刷裝幀技術日新月异的今天，國粹綫裝書的踪迹愈來愈難尋覓，給傾慕傳統的讀書人帶來了不少惆悵和遺憾。我們編印《文華叢書》，實是爲喜好傳統文化的士子提供精神的享受和慰藉。

叢書立意是將傳統文化之精華萃于一編。以内容言，所選均爲經典名著，自諸子百家、詩詞散文以至蒙學讀物、明清小品，咸予收羅，經數年之積纍，已蔚然可觀。以形式言，則采用激光照排，文字大方，版式疏朗，宣紙精印，綫裝裝幀，讀來令人賞心悦目。同時，爲方便更多的讀者購買，復盡量降低成本、降低定價，好讓綫裝珍品更多地進入尋常百姓人家。

可以想像，讀者于忙碌勞頓之餘，安坐窗前，手捧一册古樸精巧的綫裝書，細細把玩，静静研讀，如沐春風，如品醇釀……此情此景，令人神往。

讀者對于綫裝書的珍愛使我們感受到傳統文化的魅力。近年來，叢書中的許多品種均一再重印。爲方便讀者閲讀收藏，特進行改版，將開本略作調整，擴大成書尺寸，以使版面更加疏朗美觀。相信《文華叢書》會赢得越來越多讀者的喜愛。

有《文華叢書》相伴，可享受高品位的生活。

廣陵書社編輯部

二〇一一年二月

出版説明

宋代，是中國詩詞發展的鼎盛時期。這一時期，詞人衆多，名家名篇如繁星滿天，輝映千古。宋詞，成爲一代文學的象徵，如同『唐詩』、『元曲』一樣，被後人認同，爲世人稱道。宋詞選本，以宋代周密編選的《絶妙好詞》最『精粹』，清代查爲仁、厲鶚合箋本最通行。《絶妙好詞》，分七卷，收詞三百八十四首。始自張孝祥，終於仇遠，共一百三十二家。清查爲仁、厲鶚箋釋本事，有作者介紹、詞句考證、諸家評論、詞旨警句、掌故軼聞等。清代余集從周密《浩然齋雅談》等書輯出一卷，徐楙從《武林舊事》、《齊東野語》等書采摭一卷，總增近五十首，成爲現在通行的《絶妙好詞箋》七卷、《續鈔》二卷。

我社選用清道光八年徐楙愛日軒刻本爲底本，重新編排校對，增加標點，以便閱讀，并於書前增一總目，以便翻檢。

絶妙好詞箋總目録

四庫全書總目提要
原序
厲鶚序
《絶妙好詞》題跋
《絶妙好詞》紀事
卷一 一—二十七
張孝祥
念奴嬌（洞庭青草）
西江月（問訊湖邊春色）
清平樂（光塵撲撲）
范成大
菩薩蠻（東風約略吹羅幕）
醉落魄（棲烏飛絶）
朝中措（長年心事寄林扃）
眼兒媚（酣酣日脚紫烟浮）
憶秦娥（樓陰缺）
霜天曉角（晚晴風歇）
洪邁
踏莎行（院落深沉）
陸游
朝中措（幽姿不入少年場）
烏夜啼（金鴨餘香尚暖）
烏夜啼（紈扇嬋娟素月）
陸淞
瑞鶴仙（臉霞紅印枕）
韓元吉
水龍吟（雨餘叠巘浮空）
好事近（凝碧舊池頭）
姚寬
菩薩蠻（斜陽山下明金碧）
生查子（郎如陌上塵）
吴琚
柳梢青（彩仗鞭春）
浪淘沙（雲葉弄輕陰）
浪淘沙（岸柳可藏鴉）
辛棄疾
摸魚兒（更能消幾番風雨）
瑞鶴仙（雁霜寒透幕）
祝英臺近（寶釵分）
劉過
賀新郎（老去相如倦）
唐多令（蘆葉滿汀洲）
醉太平（情高意真）
謝懋
驀山溪（厭厭睡起）
風入松（老年常憶少年狂）
浪淘沙（黄道雨初乾）
霜天曉角（緑雲剪葉）
章良能
小重山（柳暗花明春事深）
陳亮
水龍吟（鬧花深處層樓）
真德秀
蝶戀花（兩岸月橋花半吐）
劉光祖
洞仙歌（晚風收暑）
蔡柟
鷓鴣天（病酒厭厭與睡宜）
洪咨夔
眼兒媚（平沙芳草渡頭村）
岳珂
滿江紅（小院深深）
生查子（芙蓉清夜游）
張鎡
念奴嬌（緑雲影裏）
昭君怨（月在碧虚中住）
盧祖皋
宴清都（春訊飛瓊管）
江城子（畫樓簾幕捲新晴）
賀新凉（挽住風前柳）
倦尋芳（香泥壘燕）
清平樂（錦屏開曉）
清平樂（柳邊深院）
謁金門（香漠漠）
謁金門（風不定）
烏夜啼（幾曲微風按柳）
烏夜啼（漾暖紋波颭颭）
張履信
柳梢青（雨歇桃繁）
謁金門（春睡起）

周文璞
一剪梅（風韻蕭疏玉一團）
徐照
南歌子（簾景篩金錢）
清平樂（緑圍紅繞）
阮郎歸（緑楊庭户静沉沉）
俞灝
點絳唇（欲問東君）
潘牥
南鄉子（生怕倚闌干）
劉翰
好事近（花底一聲鶯）
蝶戀花（團扇題詩春又晚）
清平樂（凄凄芳草）
劉子寰
霜天曉角（横陰漠漠）
張良臣
西江月（四壁空圍恨玉）
卷二　二十八—五十
姜夔
暗香（舊時月色）
疏影（苔枝綴玉）
揚州慢（淮左名都）
玲瓏四犯（疊鼓夜寒）
琵琶仙（雙槳來時）
法曲獻仙音（虚閣籠寒）
念奴嬌（鬧紅一舸）
一萼紅（古城陰）
齊天樂（庾郎先自吟《愁賦》）
淡黃柳（空城曉角）
小重山（人繞湘皋月墜時）
點絳唇（燕雁無心）
惜紅衣（枕簟邀凉）
劉仙倫
江神子（東風吹夢落巫山）
菩薩蠻（吹簫人去行雲杳）
蝶戀花（小立東風誰共語）
一剪梅（唱到陽關第四聲）
孫惟信
霜天曉角（倚空絶壁）
晝錦堂（薄袖禁寒）
夜合花（風葉敲窗）
燭影摇紅（一朵鞓紅）
醉思凡（吹簫跨鸞）
史達祖
南鄉子（璧月小紅樓）
綺羅香（做冷欺花）
雙雙燕（過春社了）
夜行船（不剪春衫愁意態）
東風第一枝（巧剪蘭心）
東風第一枝（酒館歌雲）
喜遷鶯（月波凝滴）
清商怨（春愁遠）
蝶戀花（二月東風吹客袂）
玉樓春（游人等得春晴也）
青玉案（蕙花老盡離騷句）
高觀國
齊天樂（碧雲缺處無多雨）
玉樓春（幾雙海燕來金屋）
金人捧露盤（夢湘雲）
金人捧露盤（念瑶姬）
祝英臺近（一窗寒）
思佳客（剪翠衫兒穩四停）
霜天曉角（春雲粉色）
風入松（捲簾日日恨春陰）
謁金門（烟墅暝）
劉鎮
玉樓春（泠泠水向橋東去）
張輯
疏簾淡月（梧桐雨細）
山漸青（山無情）
謁金門（花半濕）
念奴嬌（嫩凉生曉）
祝英臺近（竹間棋）
李石
木蘭花令（轆轆軛軛門前井）
李泳
定風波（點點行人趁落暉）
清平樂（亂雲將雨）
鄭域
昭君怨（道是花來春未）
王嵎
祝英臺近（柳烟濃）
夜行船（曲水濺裙三月二）
蔡松年
鷓鴣天（秀樾横塘十里香）
韓嘐
尉遲杯（紫雲暖）

高陽臺（頻聽銀籤）
浪淘沙（莫上玉樓看）
浪淘沙（裙色草初青）
卷三　五十一—七十三
劉克莊
摸魚兒（甚春來）
卜算子（片片蝶衣輕）
清平樂（宫腰束素）
吴潜
生查子（繁燈奪霽華）
滿江紅（柳帶榆錢）
南柯子（池水凝新碧）
尹焕
霓裳中序第一（青顰粲素靨）
眼兒媚（垂楊裊裊蘸清漪）
唐多令（蘋末轉清商）
趙以夫
憶舊游慢（望紅蕖影裏）
姚鏞
謁金門（吟院静）
羅椅
柳梢青（萼緑華身）
馮去非
喜遷鶯（涼生遥渚）
許棐
鷓鴣天（翠鳳金鸞綉欲成）
琴調相思引（組綉盈箱錦滿機）
陸叡
後庭花（一春不識西湖面）
瑞鶴仙（濕雲黏雁影）
蕭泰來
霜天曉角（千霜萬雪）
趙希邁
八聲甘州（寒雲飛萬里）
趙崇嶓
蝶戀花（一剪微寒禁翠袂）
菩薩蠻（桃花相向東風笑）
趙希彭
霜天曉角（姮娥戲劇）
秋蕊香（髻穩冠宜翡翠）
王澡
霜天曉角（疏明瘦直）
趙與御
方岳
江神子（窗綃深掩護芳塵）
楊伯嵒
踏莎行（梅觀初花）
周晋
點絳唇（午夢初回）
清平樂（圖書一室）
柳梢青（似霧中花）
楊纘
八六子（怨殘紅）
一枝春（竹爆驚春）
被花惱（疏疏宿雨釀寒輕）
翁孟寅
齊天樂（紅香十里銅駝夢）
燭影摇紅（樓倚春城）
阮郎歸（月高樓外柳花明）
趙汝茪
梅花引（對花時節不曾歡）
夢江南（簾不捲）
戀綉衾（柳絲空有萬千條）
漢宫春（著破荷衣）
如夢令（小砑紅綾箋紙）
謁金門（歸去去）
樓槃
霜天曉角（月淡風輕）
霜天曉角（剪霜裁冰）
鍾過
步蟾宫（東風又送酴醿信）
李從周
抛球樂（風罥蔫紅雨易晴）
風流子（雙燕立虹梁）
清平樂（美人嬌小）
風入松（霜風連夜做冬晴）
烏夜啼（徑蘚痕沿碧甃）
鷓鴣天（緑色吴箋覆古苔）
黄簡
柳梢青（病酒心情）
玉樓春（龜紋曉扇堆雲母）
陳策
摸魚兒（倚危梯）
滿江紅（倦綉人閑）
黄昇
清平樂（珠簾寂寂）

絶妙好詞箋

目録

李振祖
浪淘沙（春在畫橋西）
薛夢桂
醉落魄（單衣乍著）
眼兒媚（碧筒新展綠蕉芽）
三姝媚（薔薇花謝去）
浣溪紗（柳映疏簾花映林）
曾揆
西江月（櫚雨輕敲夜夜）

卷四 七十四—九十一

吳文英
八聲甘州（渺空烟四遠）
聲聲慢（檀欒金碧）
青玉案（短亭芳草長亭柳）
青玉案（新腔一唱雙金斗）
好事近（飛露灑銀床）
唐多令（何處合成愁）
高陽臺（宮粉雕痕）
杏花天（幽歡一夢成炊黍）
風入松（聽風聽雨過清明）
朝中措（晚妝慵理瑞雲盤）
西江月（枝裊一痕雪在）
浪淘沙（燈火雨中船）
高陽臺（修竹凝妝）
思嘉客（迷蝶無踪曉夢沉）
采桑子慢（桐敲露井）
三姝媚（湖山經醉慣）
翁元龍
水龍吟（畫樓紅濕斜陽）
風流子（天闊玉屏空）
醉桃源（千絲風雨萬絲晴）
謁金門（鶯樹暖）
絳都春（花嬌半面）
鄭楷
訴衷情（酒旗搖曳柳花天）
黃孝邁
湘春夜月（近清明）
水龍吟（閑情小院沉吟）
江開
浣溪沙（手拈花枝憶小蘋）
杏花天（謝娘庭院通芳徑）
譚宣子
謁金門（人病酒）
江城子（嫩黃初染綠初描）

陳逢辰
烏夜啼（月痕未到朱扉）
西江月（楊柳雪融滯雨）
樓采
瑞鶴仙（凍痕銷夢草）
玉漏遲（絮花寒食路）
法曲獻仙音（花匣幺弦）
好事近（人去玉屏閑）
二郎神（露床轉玉）
玉樓春（東風破曉寒成陣）
奚滅
芳草（笑湖山）
華胥引（澄空無際）
趙聞禮
千秋歲（鶯啼晴晝）
魚游春水（青樓臨遠水）
風入松（麯塵風雨亂春晴）
水龍吟（幾年埋玉藍田）
隔浦蓮近（愁紅飛眩醉眼）
賀新郎（池館收新雨）
施岳
水龍吟（翠鰲涌出滄溟）
清平樂（水遥花暝）
解語花（雲容冱雪）
蘭陵王（柳花白）
曲游春（畫舸西泠路）
步月（玉宇薰風）

卷五 九十二—一一一

陳允平
絳都春（鞦韆倦倚）
瑞鶴仙（燕歸簾半捲）
思佳客（錦幄沉沉寶篆殘）
戀綉衾（多情無語斂黛眉）
唐多令（休去采芙蓉）
滿江紅（目斷烟江）
秋蕊香（晚酌宜城酒暖）
一落索（欲寄相思愁苦）
垂楊（銀屏夢覺）
張樞
瑞鶴仙（捲簾人睡起）
風入松（春寒懶下碧雲樓）
南歌子（柳户朝雲濕）
謁金門（春夢怯）
慶宫春（斜日明霞）

壺中天（雁横迴碧）
李演
摸魚兒（又西風）
聲聲慢（輕裁綉谷）
醉桃源（雙鴛初放步雲輕）
南鄉子（芳水戲桃英）
八六子（乍鷗邊）
祝英臺近（采芳蘋）
莫崙
水龍吟（鏡寒香歇江城路）
玉樓春（緑楊芳徑鶯聲小）
生查子（三兩信凉風）
卜算子（紅底過絲明）
丁宥
水龍吟（雁風吹裂雲痕）
儲泳
齊天樂（東風一夜吹寒食）
趙汝迕
清平樂（初鶯細雨）
樓扶
水龍吟（素娥洗盡繁妝）
菩薩蠻（絲絲楊柳鶯聲近）

史介翁
菩薩蠻（柳絲輕颺黄金縷）
周端臣
木蘭花慢（靄芳陰未解）
玉樓春（華堂簾幕飄香霧）
楊子咸
木蘭花慢（紫凋紅落後）
楊恢
二郎神（瑣窗睡起）
倦尋芳（錫簫吹暖）
滿江紅（小院無人）
祝英臺近（宿醒蘇）
祝英臺近（月如冰）
八聲甘州（摘青梅薦酒）
何光大
謁金門（天似水）
趙潽
臨江仙（堤曲朱墻近遠）
趙淇
吴山青（金璞明）
毛珝
謁金門（吟望直）

浣溪紗（緑玉枝頭一粟黄）
潘希白
大有（戲馬臺前）
李珏
擊梧桐（楓葉濃於染）
木蘭花慢（故人知健否）
利登
風入松（斷蕪幽樹際烟平）
曹邍
玲瓏四犯（一架幽芳）
劉瀾
慶宮春（春剪緑波）
瑞鶴仙（向陽看未足）
齊天樂（玉釵分向金華後）
張龍榮
摸魚兒（又吴塵）
卷六　一二一—一三一
李彭老
木蘭花慢（正千門繫柳）
壺中天（青颸蕩碧）
高陽臺（飄粉杯寬）
法曲獻仙音（雲木槎枒）

一萼紅（過薔薇）
高陽臺（石笋埋雲）
探芳訊（對芳晝）
祝英臺近（杏花初）
踏莎行（紫曲迷香）
浪淘沙（潑火雨初晴）
四字令（蘭湯晚凉）
生查子（羅襦隱綉茸）
李萊老
惜紅衣（笛送西泠）
青玉案（吟情老盡江南句）
揚州慢（玉倚風輕）
謁金門（春意態）
浪淘沙（榆火换新烟）
生查子（妾情歌柳枝）
高陽臺（門掩香殘）
木蘭花慢（向烟霞堆裏）
清平樂（緑窗初曉）
臺城路（半空河影流雲碎）
浪淘沙（寶押綉簾斜）
杏花天（年時中酒風流病）
小重山（畫檐簪柳碧如城）

應灋孫
霓裳中序第一（愁雲翠萬叠）
賀新郎（宿霧樓臺濕）
王億之
高陽臺（雙槳敲冰）
佘桂英
小桃紅（芳草連天暮）
胡仲弓
謁金門（蛾黛淺）
尚希尹
浪淘沙（結客去登樓）
柴望
念奴嬌（春來多困）
朱藻
采桑子（障泥油壁人歸後）
黄鑄
秋蕊香令（花外數聲風定）
王同祖
阮郎歸（一簾疏雨細於塵）
王茂孫
高陽臺（遲日烘晴）
點絳唇（折斷烟痕）

王易簡
齊天樂（宮烟曉散春如霧）
酹江月（暗簾吹雨）
慶宮春（庭草春遲）
張桂
菩薩蠻（東風忽驟無人見）
浣溪紗（雨壓楊花路半乾）
張磐
綺羅香（浦月窺檐）
浣溪紗（習習輕風破海棠）
張林
唐多令（金勒鞚花驄）
柳梢青（白玉枝頭）
朱葡孫
真珠簾（春雲做冷春知未）
吴大有
點絳唇（江上旗亭）
張炎
壺中天（瘦筇訪隱）
渡江雲（錦薌繚繞地）
甘州（記天風飛珮紫霞邊）
趙崇霄

東風第一枝（妒雪梅蘇）
范晞文
意難忘（清泪如鉛）
鄭斗焕
新荷葉（乳鴨池塘）
曹良史
江城子（夜香燒了夜寒生）
董嗣杲
湘月（蓮幽竹邃）
卷七 一三一—一四七
周密
國香慢（玉潤金明）
一萼紅（步深幽）
掃花游（江蘺怨碧）
三姝媚（淺寒梅未綻）
法曲獻仙音（松雪飄寒）
高陽臺（照野旌旗）
慶宮春（重叠雲衣）
高陽臺（小雨分江）
探芳信（步晴晝）
水龍吟（素鸞飛下青冥）
效顰十解

四字令（眉消睡黄）
西江月（緑綺紫絲步障）
江城子（羅窗曉色透花明）
少年游（簾銷寶篆捲宮羅）
好事近（新雨洗花塵）
西江月（情縷紅絲冉冉）
醉落魄（憶憶憶憶）
朝中措（彩繩朱乘駕濤雲）
醉落魄（餘寒正怯）
浣溪沙（蠶已三眠柳二眠）
甘州（漸萋萋）
踏莎行（遠草情鍾）
王沂孫
醉蓬萊（掃西風門徑）
法曲獻仙音（層緑峨峨）
淡黄柳（花邊短笛）
一萼紅（思飄飄）
長亭怨（泛孤艇）
慶宮春（明玉擎金）
高陽臺（殘萼梅酸）
西江月（褪粉輕盈瓊靨）
踏莎行（白石飛仙）

醉落魄（小窗銀燭）
趙與仁
柳梢青（露冷仙梯）
琴調相思引（冰箔紗簾小院清）
西江月（夜半河痕依約）
清平樂（柳絲搖露）
好事近（春色醉荼蘼）
仇遠
生查子（釵頭綴玉蟲）
八犯玉交枝（滄島雲連）
《絶妙好詞箋》善長善和跋
《絶妙好詞續鈔》余集原序
卷一　一—十四
翁孟寅
摸魚兒（捲西風）
王澡
祝英臺近（玉東西）
趙希邁
滿江紅（三十年前）
薛夢桂
醉落魄（單衣乍著）
翁元龍
江城子（一年簫鼓又疏鐘）
西江月（畫閣换黏春帖）
朝中措（花情偏與夜相投）
鵲橋仙（天長地久）
張樞
戀綉衾（屏綃裊潤惹篆烟）
清平樂（鳳樓人獨）
木蘭花慢（歌塵凝燕壘）
李演
賀新凉（笛叫東風起）
劉瀾
買陂塘（御風來）
李彭老
壺中天（水西雲北）
木蘭花慢（折秦淮露柳）
祝英臺近（載輕寒）
清平樂（合歡扇子）
一斛珠（露輕風細）
青玉案（楚峰十二陽臺路）
李萊老
倦尋芳（繚墻黏蘚）
點絳唇（緑染春波）
西江月（緑凝曉雲冉冉）
周容
小重山（謝了梅花恨不禁）
張涅
祝英臺近（一番風）
章謙亨
玉樓春（團欒小酌醺醺醉）
魏子敬
生查子（愁盈鏡裏山）
陳參政
木蘭花慢（歸人猶未老）
失名
謁金門（休只坐）
小重山（鼓報黄昏禽影歇）
失名
踏莎行（照眼菱花）
失名
望遠行（又還到）
無名氏
減字木蘭花（并州霜早）
王夫人
滿江紅（太液芙蓉）
嚴蕊
如夢令（道是梨花不是）
乩仙
鵲橋仙（鸞輿初駕）
卷二　十五—二十三
陸游
釵頭鳳（紅酥手）
吴琚
水龍吟（紫皇高宴蕭臺）
吴文英
玉樓春（茸茸貍帽遮梅額）
張掄
柳梢青（柳色初濃）
壺中天慢（洞天深處）
臨江仙（聞道彤庭森寶仗）
曾覿
阮郎歸（柳陰庭院占風光）
柳梢青（桃靨紅勻）
壺中天慢（素斂飀碧）
周必大
點絳唇（踏白江梅）

點絳唇（秋夜乘槎）
俞國寶
風入松（一春長費買花錢）
乩仙
憶少年（淒涼天氣）
《絶妙好詞續鈔》徐楙跋
《絶妙好詞箋》點校說明
《絶妙好詞箋》校記

欽定四庫全書總目提要（集部・詞曲類・詞選之屬）

《絶妙好詞箋》七卷（兵部侍郎紀昀家藏本）

《絶妙好詞》，宋周密編。其箋則國朝查爲仁、厲鶚所同撰也。密所編南宋歌詞，始於張孝祥，終於仇遠，凡一百三十二家，去取謹嚴，猶在曾慥《樂府雅詞》、黄昇《花庵詞選》之上。又宋人詞集今多不傳，并作者姓名亦不盡見於世，零璣碎玉，皆賴此以存，於詞選中最爲善本。初，爲仁採摭諸書以爲之箋。各詳其里居出處，或因詞而考證其本事，或因人而附載其佚聞，以及諸家評論之語，與其人之名篇秀句不見於此集者，咸附録之。會鶚亦方箋此集，尚未脱稿。適游天津，見爲仁所箋，遂舉以付之，删複補漏，合爲一書。今簡端并題二人之名，不没其助成之力也。所箋多泛濫旁涉，不盡切於本詞，未免有嗜博之弊。然宋詞多不標題，讀者每不詳其事，如陸淞之《瑞鶴仙》、韓元吉之《水龍吟》、辛棄疾之《祝英臺近》、尹焕之《唐多令》、楊恢之《二郎神》，非参以他書得其原委，有不解爲何語者。其疏通證明之功，亦有不可泯者矣。密有《癸辛雜識》諸書，鶚有《遼史拾遺》諸書，皆已著録。爲仁字心穀，號蓮坡，宛平人。康熙辛卯舉人。是集成於乾隆己巳，刻於庚午。鶚序稱其尚有《詩餘紀事》如干卷，今未之見，殆未成書歟。

原序

粤稽詩降爲詞，六朝潜啓其意，而體創于李唐，五代繼隆其軌，而風暢于趙宋。柳屯田之『曉風殘月』、蘇學士之『亂石崩雲』，世所共稱，固無論已。建炎而後，作者斐然：數南渡之才人，無非妍手；咏西湖之麗景，盡是專家。薄醉尊前，按紅牙之小拍；清歌扇底，度白雪之新聲。况乎人間『玉碗』，闕下『銅駝』，不無『荆棘』之悲，用志『黍離』之感；文弦鼓其凄調，玉笛發其哀思。亦有登山臨水，勝情與豪素争飛；惜别懷人，秀句共郵筒俱遠。凡斯體製，有待纂編，于是草窗周氏彙次成書。山玉川珠，供其採擷；蜀羅趙錦，藉彼剪裁。蔡家『幼婦』之碑，固應無愧；黄氏『散花』之集，詎可齊觀。秀遠爲前此所無，規矩實後來之式。然而劍氣長埋，珠光易匿，五百年之星移物换，金石尚爾銷沉，一卷書之雲散波流，簡帙能無散佚？於今風雅殆勝曩時：翡翠筆床，人宗石帚；琉璃硯匣，家擬梅溪。爰有好事之家，千金購其善本；嗜奇之士，古鼎質其秘書。時歲甲子，訪戚虞山，叔丈遵王，招携永日。郗方回之游宴，久欽逸少門風；盧子諒之婚姻，夙附劉琨世戚。觴咏之暇，籤軸斯陳。謝氏五車，未足方其名貴；田宏萬卷，猶當遜其珍奇。得此一編，如逢拱璧。不謂失傳已久，猶能藏弆至今，諷咏自深，剞劂有待。河北膠東之紙，傳此名篇；然脂弄墨之餘，成余素志。上偕諸父，俾我弟昆，共訂魯魚，重新梨棗。從此光華不没，風景常新，非惟一日之賞心，允矣千秋之勝事。武唐柯煜序。

草窗周公謹集選宋南渡以後諸人詩餘，凡七卷，名之曰《絶妙好詞》。公謹生於宋末，以博雅名東南，所作音節凄清，情寄深遠，非徒以綺麗勝者。兹選披沙揀金，合一百三十二人，爲詞不滿四百，亦云精矣。余嘗論選家以今稽古，病在不親，《穀梁》所謂『聽遠音者，聞其疾而不聞其舒』也。若同時之人，徵搜該博，參互詳審，其去疻痏，正謬悠，較之後代，難易什伯。宋人選宋詞，如曾慥《樂府雅詞》、趙粹夫《陽春白雪》以及《謫仙蘭畹》諸集，皆名存書逸，每爲可惜。草窗所選，乃虞山錢氏秘藏鈔本，柯子南陔得之，與其從父寓匏舍人及余考校缺誤，繕刻以行。夫古書顯晦，各有其時。皇上聖學淵奥，凡經史子集以及類説稗乘，罔不搜討，宋元舊本，漸已畢出。彼曾、趙諸集，又豈無搜廢簏而弆之者。是書之出，其嚆矢夫。康熙戊寅夏五，江村高士奇序於清吟堂。

序

《絶妙好詞》七卷，南宋弁陽老人周密公謹所輯。宋人選本朝詞，如曾端伯《樂府雅詞》、黄叔暘《花庵詞選》，皆讓其精粹，蓋詞家之準的也。所采多紹興迄德祐間人，自二三巨公外，姓字多不著。夫士生隱約，不得樹立功業，炳焕天壤，僅以詞章垂稱後世；而姓字猶在若滅若没間，無人爲從故紙堆中抉剔出之，豈非一大恨事耶！津門查君蓮坡研精風雅，耽玩倚聲，披閲之暇，隨筆札記，輯有《詩餘紀事》如干卷。于是編尤所留意，特爲之箋。不獨諸人里居出處十得八九，而詞中之本事、詞外之佚事，以及名篇秀句、零珠碎金，攟拾無遺。俾讀者展卷時，恍然如聆其笑語而共其游歷也。予與蓮坡有同好，向嘗綴拾一二，每自矜�獲，會以衣食奔走，不克卒業。及來津門，見蓮坡所輯，頗有望洋之嘆，并舉以付之，次第增入焉。譬諸掇遺材以裨建章，投片瓊以厠懸圃，其爲用不已微乎！蓮坡通懷集益，猶不忘所自，必欲附賤名於簡端，辭不得已，因述其顛末如此云。

乾隆戊辰閏七夕前三日，錢塘厲鶚書於津門之古春小茨。

《絶妙好詞》題跋

花氣烘人尚暖，珠光出海猶寒。如今賀老見應難，解道江南腸斷。　謾擊銅壺浩嘆，空存錦瑟誰彈？　莊生蝴蝶夢春還，簾外一聲鶯喚。調《西江月》，玉田生張炎叔夏。《山中白雲詞》

弁陽老人選此詞，總目後又有目録。卷中詞人，大半予所未曉者。其選録精允，清言秀句，層見叠出，誠詞家之南董也。此本又經前輩細看批閲，姓氏下各朱標其出處里第，展玩之，心目了然。或曰弁陽老人即周草窗，未知然否？　虞山錢遵王。錢氏《述古堂藏書題詞》

詞人之作，自《草堂詩餘》盛行，屏去激楚陽阿，而巴人之唱齊進矣。周公謹《絶妙好詞》選本中多俊語，方諸《草堂》所録，雅俗殊分。顧流布者少，從虞山錢氏鈔得，嘉善柯孝廉南陔重鋟之。作者百三十有二人，第七卷仇仁近殘闕，目亦無存，可惜也。公謹自有《蘋洲漁笛譜》，其詞足與陳衡仲、王聖與、張叔夏方駕。金風亭長朱彝尊。《曝書亭集》

張玉田《樂府指迷》云：　『近代詞如《陽春白雪集》、《絶妙詞選》，亦有可觀，但所取不甚精一，豈若草窗所選《絶妙好詞》爲精粹！　惜此板不存，墨本亦有好事者藏之。』據此，則是書在元時已爲難得，有明三百年，樂府家未曾見其隻字，徒奉沈氏《草堂》選爲金科玉律，無怪乎雅道之不振也！　幸虞山錢遵王氏收藏抄本，禾中柯孝廉南陔、錢唐高詹事江村校刊以傳，是書乃流布人間矣。近時購之頗艱。余最有倚聲之癖，吴丈志上掇殘帙以贈，僅得二卷，又借於符君幼魯，屬門人録成，乃爲完好，聊志歲月於簡端。時康熙六十一年十二月九日，錢唐厲鶚題於無盡意齋。

《絶妙好詞》紀事

何焯《讀書敏求記》跋：『絳雲未燼之先，藏書至三千九百餘部。而錢遵王此記，凡六百有一種，皆紀宋板、元鈔，及書之次第完闕、古今不同。手披目覽，類而載之，遵王畢生之菁華，萃於斯矣。書既成，扃之枕中，出入每自携。靈踪微露，竹篛謀之甚力，終不可見。竹垞既應召，後二年，典試江左，遵王會於白下。竹垞故令客置酒高宴，約遵王與偕；私以黄金、翠裘予侍書小史，啓鐍，豫置楷書生數十於密室，半宵寫成，而仍返之。當時所録，并《絶妙好詞》在焉。詞既刻，函致遵王，漸知竹垞詭得，且恐其流傳於外也，竹垞乃設誓以謝之。』又跋：『遵王纂成此書，秘之笈中，知交罕得見者。竹垞檢討校士江南日，龔方伯遍召諸名士大會秦淮河，遵王與焉。是夕，私以黄金、青鼠裘予其侍史，啓篋得是編，命藩署廊吏鈔録，并得《絶妙好詞》。既而詞先刻，遵王疑之，竹垞爲之設誓以謝之，不授人也。』案柯崇樸《絶妙好詞序》云：『往余與朱檢討竹篛有《詞綜》之選，摭拾散逸，采掇備至；所不得見者數種，周草窗《絶妙好詞》其一也。嗣聞虞山錢子遵王藏有寫本，余從子煜爲錢氏族婿，因得假歸。然傳寫多訛，逮再三參考，始厘然復歸於正，爰鏤板以行之。』據此，則非先生所詭得矣，義門之言近誣。楊謙《朱竹垞先生年譜》：『康熙二十年辛酉，五十三歲。』

厲鶚，字太鴻，號樊榭，錢塘人。康熙五十九年舉人。乾隆元年，薦舉博學鴻詞。有《樊榭山房集》。徵君性情孤峭，義不苟合。讀書搜奇愛博，鈎新摘异，尤熟於宋、元以來叢書稗説。以孝廉需次縣令，將入京，道經天津，查蓮坡先生留之水西莊，觴咏數月，同撰周密《絶妙好詞》箋，遂不就選而歸揚州。馬秋玉兄弟延爲上客，嗣後，往來竹西者凡數載。馬氏小玲瓏山館多藏舊書善本，間以古器名畫，因得端居探討。所撰《宋詩紀事》、《遼史拾遺》極爲詳洽，今皆録入《四庫》書中。其先世家於慈谿，故以四明山『樊榭』爲號。予於戊辰歲在長洲趙君飲谷小吴船遇之，辱爲忘年交。嗣後，徵君過吴必訪余于朱氏蕢花水閣，凡三年，而徵君下世。其詞直接碧山、玉田，予録入《琴畫樓詞鈔》。樊榭下世，葬于杭州西溪王家塢，因無子嗣，不久化爲榛莽。後四十餘年，何君春渚琪游西溪田舍，見草堆中樊榭及姬人月上栗主在焉，取歸，偕同人送武林門外牙灣黄山谷祠，掃灑一室以供之。予爲撰『丈室花同天女散，摩圍詩共老人參』句，以題其楹。李光甫方湛、蔣蔣村炯、陶鳧香梁諸子，皆有詩詞記之。樊榭生于康熙三十一年五月初二日辰時，殁于乾隆十七年（此十四字原本失寫，今據栗主補入。）九月十一日辰時。月上姓朱氏，名滿娘，烏程人。生于康熙五十八年三月二十四日辰時，殁于乾隆七年正月初三日戌時。并屬蔣村及項金門墉、許周生宗彦各于忌日奉酒脯薦焉。王昶《蒲褐山房詩話》蔡木龕焜云：『厲徵君子綉周有女，適桑弢甫先生之孫近仁。綉周亡後，其妻丁氏，龍泓先生女，無所歸，奉厲氏先代栗主依於桑。桑家車橋先與其甥倪米樓稻孫同居，而北郭之童佛庵鈺又故與米樓善，性好奇。一日訪米樓，值無人，遂於厲氏家廟中檢徵君暨月姬主懷歸。月姬主爲樊榭手書，樊榭主爲丁龍泓手書也。童以告何春渚琪，詭言得之西溪田舍草堆中。何轉告王述庵司寇，因率同人庋置湖市宋黄文節公祠，各醵百錢致祭。時爲嘉慶六年四月六日也。不一載，其事即廢。道光丁亥春正月二十二日，邑人公請其主，由黄公祠移供西溪之茭蘆庵塔院内。顛末詳載《厲徵君祀志》。』

絶妙好詞箋卷一

弁陽老人周密原輯
宛平查爲仁 錢唐厲鶚 同箋

張孝祥

孝祥字安國，號于湖，烏江人。紹興二十四年廷對第一，授承事郎，簽書鎮東軍判官，累遷中書舍人，直學士院，兼督府參贊軍事，領建康留守，尋以荆南湖北路安撫使進顯謨閣直學士致仕。有《于湖集》，詞一卷。

湯衡《序紫微詞》云：于湖平昔爲詞，未嘗著稿，筆酣興健，頃刻即成，無一字無來處。

念奴嬌 過洞庭

洞庭青草，近中秋、更無一點風色。玉界瓊田三萬頃，著我扁舟一葉。素月分輝，明河共影，表裏俱澄澈。悠然心會，妙處難與君說。　應念嶺表經年，孤光自照，肝膽皆冰雪。短鬢蕭疏襟袖冷，穩泛滄溟空闊。盡吸西江，細斟北斗，萬象爲賓客。叩舷獨嘯，不知今夕何夕！

《四朝聞見録》云：張于湖嘗舟過洞庭，月照龍堆，金沙蕩射，公得意命酒，唱歌所作詞，呼群吏而酌之曰：『亦人子也！』其坦率皆類此。

鶴山魏了翁跋此詞真迹云：張于湖有英姿奇氣，著之湖湘間，未爲不遇。洞庭所賦，在集中最爲杰特，方其吸江酌斗，賓客萬象時，詎知世間有紫微青瑣哉？

西江月 丹陽湖

問訊湖邊春色，重來又是三年。東風吹我過湖船，楊柳絲絲拂面。　世路如今已慣，此心到處悠然。寒光亭下水連天，飛起沙鷗一片。

《輿地紀勝》云：丹陽湖在當塗縣東南六十九里。杜預注《春秋左傳》云『宣城廣德縣西南有桐水，出白石山，西北入丹陽湖』是也。

按《景定建康志》載此詞云：題溧陽三塔寺。**按志**：三塔湖，一名梁城湖，在溧陽縣西七十里。**又云**：溧水西承丹陽湖，自東壩成，丹陽湖水不復通本縣界。**岳珂《玉楮集》亦云**：溧陽三塔寺寒光亭柱上刻張於湖詞。**自當以《建康志》爲據**。

清平樂

光塵撲撲，宮柳低迷綠。鬥鴨闌干春詰曲，簾額微風綉蹙。碧雲青翼無憑，困來小倚雲屏。楚夢不禁春晚，黃鸝猶自聲聲。

菩薩蠻

東風約略吹羅幕，一簾細雨春陰薄。試把杏花看，濕雲嬌暮寒。佳人雙玉枕，烘醉鴛鴦錦。折得最繁枝，暖香生翠帷。雲，一作紅。

《詞旨·警句》：盡吸西江，細斟北斗，萬象爲賓客。叩舷獨笑，不知今夕何夕！（念奴嬌）寒光亭下水連天，飛起沙鷗一片。

（西江月）

《能改齋漫録》：『去年今日，從駕游西苑。彩仗壓金波，看水戲、魚龍曼衍。寶津南殿，宴坐近天顔，金杯酒，君王勸，頭上宮花顫。六軍錦綉，萬騎穿楊箭。日暮翠華歸，擁鈞天、笙歌一片。如今關外，千里未歸人，前山雨，西樓晚，望斷思君眼。』此陳濟翁《驀山溪》也。舍人張孝祥知潭州，因宴客，妓有歌此，至『金杯酒，君王勸，頭上宮花顫』，其首自爲之摇動者數四，坐客忍笑指目者甚衆，而張竟不覺也。

《癸辛雜識》：張于湖知京口，王宣子代之。多景樓落成，于湖爲大書樓扁。公庫送銀二百兩爲潤筆，于湖却之，但需紅羅百匹。於是大宴合樂，酒酣，于湖賦詞，命妓合唱甚歡，遂以紅羅百匹犒之。

《吳禮部別集·詩話》：于湖玩鞭亭，晋明帝覘王敦營壘處，自温庭筠賦詩後，張文潜又賦《于湖曲》，以正湖陰之誤，詞皆奇麗警拔，膾炙人口。張安國賦《滿江紅》云：『千古凄涼，興亡事、但悲陳迹。凝望眼、吳波不動，楚山叢碧。巴滇綠駿追風遠，武昌雲旆連天赤。笑老奸、遺臭到如今，留空壁。邊書靜，烽烟息；通軺傳，銷鋒鏑。仰太平天子，聖明無敵。蹙踏揚州開帝里，渡江天馬龍爲匹。看東南、佳氣鬱葱葱，傳千億。』雖間采温、張語，而詞氣亦不在其下。嘗見安國大書此詞，後題云『乾道元年正月十日』，筆勢奇偉可愛。

《于湖詞·西江月》：十里輕紅自笑，兩山濃翠相呼。意行著脚到精廬，借我繩床小住。解飲不妨文字，無心更狎鷗魚。一聲長嘯暮烟孤，袖手西湖歸去。

范成大

成大字致能，號石湖居士，吴郡人。紹興二十四年進士，孝宗時，累官權吏部尚書，拜參知政事，進資政殿學士，提舉洞霄宫，卒謚文穆。有《石湖集》，詞一卷。

醉落魄

栖烏飛絶，絳河緑霧星明滅。燒香曳簟眠清樾。花影吹笙，滿地淡黄月。　好風碎竹聲如雪，昭華三弄臨風咽。鬢絲撩亂綸巾折。凉滿北窗，休共軟紅説。

朝中措

長年心事寄林扃，塵鬢已星星。芳意不如水遠，歸心欲與雲平。　留連一醉，花殘日永，雨後山明。從此量船載酒，莫教閑却春情。

眼兒媚

酣酣日脚紫烟浮，妍暖試輕裘。困人天氣，醉人花底，午夢扶頭。　春慵恰似春塘水，一片縠紋愁。溶溶泄泄，東風無力，欲皺還休。

憶秦娥

樓陰缺，闌干影卧東厢月。東厢月，一天風露，杏花如雪。

隔烟催漏金虬咽，羅幃暗淡燈花結。燈花結，片時春夢，江南天闊。

霜天曉角

晚晴風歇，一夜春威折。脉脉花疏天淡，雲來去、數枝雪。

勝絶，愁亦絶，此情誰共説？惟有兩行低雁，知人倚、畫樓月。

（霜天曉角）

《詞旨·警句》：花影吹笙，滿地淡黄月。（醉落魄）燈花結，片時春夢，江南天闊。（憶秦娥）惟有兩行低雁，知人倚、畫樓月。（霜天曉角）

劉克莊《後村集·詩話》：范石湖《南柯子》云：『悵望梅花驛，凝情杜若洲。香雲低處有高樓。可惜高樓，不近木蘭舟。緘素雙魚遠，題紅片葉秋。欲憑江水寄離愁。江已東流，那肯更西流？』

《澄懷録》：范石湖云：『淳熙己亥重九，與客自閶門泛舟徑横塘，宿霧一白，垂垂欲雨。至彩雲橋，氛翳豁然，晴日滿空，風景閑美，無不與人意會。四郊刈熟，露積如繚垣，田家婦子，著新衣，略有節物。挂帆溯越來溪，潦收淵澄，如行玻璃地上，菱花雖瘦，尚可采擷。檥棹石湖，叩柴荆，坐千岩觀下。菊叢中大金錢一種，已爛漫穠香，正午熏入酒杯，不待轟飲，已有醉意。其旁丹桂二畝，皆盛開，多欒枝，芳氣尤不可耐。携壺渡石梁，登姑蘇後臺，躋攀勇往，謝去巾輿筇杖，石稜草滑，皆若飛步。山頂正平有坳堂蘚石，可列坐，相傳爲吴故宫閑臺别館所在。其前湖光接松陵，獨見孤塔之尖。少北，墨點一螺，爲昆山。其後西山競秀，縈青叢碧，與洞庭林屋相賓。大約目力逾百里，具登高臨遠之勝。始余使虜，是日過燕山館，嘗賦《水調》，首句云：「萬里漢家使。」後每自和，桂林云「萬里漢都護」，成都云「萬里橋邊客」。明年徘徊藥市，頗嘆倦游，不復再賦，但有詩云：「年來厭把三邊酒，此去休哦萬里詩。」今年幸甚，獲歸故園，偕鄰曲二三子，酬酢佳節於鄉山之上，乃復用舊韵，首句云：「萬里吴船泊，歸訪菊籬秋。」』

《石湖詞·浪淘沙》：『黯淡養花天，小雨能慳。烟輕雲薄有無間。官柳絲絲都緑遍，猶有春寒。空翠濕征鞍，馬首千山。多情若是肯俱還。别有玉杯承露冷，留共君看。』玉杯，官舍中牡丹絶品也。

《菩薩蠻》云：雪林一夜收寒了，東風恰向燈前到。今夕是何年？新春新月圓。綺叢香霧隔，猶記疏狂客。留取縷金旛，夜蛾相并看。

洪邁

邁字景盧，號野處，又號容齋，鄱陽人。忠宣公皓子。紹興十五年登第。兄文惠适、文安遵，皆中博學宏詞科，由是三洪名滿天下。累遷吏、禮二部員外郎，尋進焕章閣學士，知紹興，告老，以端明殿學士致仕。卒謚文敏。有《容齋五筆》、《夷堅志》、《萬首唐人絶句》、《野處類稿》行於世。

踏莎行

院落深沉，池塘寂静，簾鈎捲上梨花影。寶筝拈得雁難尋，篆香消盡山空冷。　釵鳳斜攲，鬢蟬不整，殘紅立褪慵看鏡。杜鵑啼月一聲聲，等閑又是三春盡。

《夷堅志》：紹興間，余在臨安，試詞科三場畢，與五友同過抱劍街孫氏小樓。夜月如晝，正臨闌凭几，兩燭結花，燦然若連珠。孫倡點慧，白坐中曰：『今夕桂魄皎潔，燭花呈祥，五君較藝蘭省，其高掇不疑，請各賦一詞，爲他日佳話。』何伯明即操筆作《浣溪沙》一闋云：『草草杯盤訪玉人，燈花呈喜坐添春，邀郎覓句要清新。黛淺波嬌情脉脉，雲輕柳弱意真真，從今風月屬閑人。』衆傳觀嘆賞，獨恨其末句失意，余續《臨江仙》曰：『綺席留歡歡正洽，高樓佳氣重重。釵頭小篆燭花紅，直須將喜事，來報主人公。桂月十分春正半，廣寒宫殿葱葱。姮娥相對曲闌東，雲梯知不遠，平步躡東風。』孫滿酌一觥，相屬相勸曰：『學士必高中，此瑞殆爲君設也。』已而果奏名賜第，餘皆不偶。

陸游

游字務觀，山陰人。以蔭補登仕郎，隆興初，賜進士出身。范成大帥蜀，爲參議官，以文字交，不拘禮法。人譏其頽放，因自號『放翁』。嘉泰初，詔同修國史，升寶章閣待制。有《劍南集》，詞二卷。

劉潛夫云：放翁、稼軒一掃纖艶，不事穿鑿，高則高矣，但時時掉書袋，要是一癖。

朝中措　梅

幽姿不入少年場，無語只凄凉。一個飄零身世，十分冷淡心腸。

江頭月底，新詩舊恨，孤夢清香。任是春風不管，也曾先識東皇。

烏夜啼

金鴨餘香尚暖，緑窗斜日偏明。蘭膏香染雲鬟膩，釵墜滑無聲。冷落鞦韆伴侣，闌珊打馬心情。綉屏驚斷瀟湘夢，花外一聲鶯。

又

紈扇嬋娟素月，紗巾縹緲輕烟。高槐葉長陰初合，清潤雨餘天。弄筆斜行小草，鈎簾淺醉閑眠。更無一點塵埃到，枕上聽新蟬。

《鶴林玉露》：陸務觀，農師之孫，有詩名。恃酒頹放，因自號『放翁』，作詞云：『橋如虹，水如空，一葉飄然烟雨中。天教稱放翁。』晚年爲韓平原作《南園記》，除從官。楊誠齋寄詩云：『君居東浙我江西，鏡裏新添幾縷絲。花落六回疏信息，月明千里兩相思。不應李杜翻鯨海，更羨夔龍集鳳池。道是樊川輕薄殺，猶將萬户比千詩。』蓋切磋之也。然《南園記》唯勉以忠獻之事業，無諛辭。晚年和平粹美，有中原承平時氣象，朱文公喜稱之。

《耆舊續聞》：陸放翁官南昌日，代還，有贈别詞云：『雨斷西山晚照明，悄無人、幽夢自驚。説道去多時也，到如今、真個是行。遠山已是無心畫，小樓空、斜掩綉屏。你嚎早收心呵！趁劉郎、雙鬢未星。』又閑居三山日，方務德侍郎携妓訪之，公有詞云：『三山山下閑居士，巾屨蕭然。小醉閑眠，風引飛花落釣船。』并不載於集。

《齊東野語》：放翁在蜀日，有所盼，賦詩云：『碧玉當年未破瓜，學成歌舞入侯家。如今憔悴蓬窗底，飛上青天妒落花。』出蜀後，每懷舊游，多見之賦咏。有云：『金鞭珠彈憶春游，萬里橋東罨畫樓。夢倩曉風吹不斷，書憑春雁寄無由。鏡中顔鬢今如此，席上賓朋好在否？篋有吴箋三百個，擬將細字説春愁。』又云：『裘馬清狂錦水濱，最繁華地作閑人。金壺投箭消長日，翠袖傳杯領好春。幽鳥語隨歌處拍，落花鋪作舞時茵。悠然自適君知否，身與浮名孰重輕？』又以此詩檃括作《風入松》云：『十年裘馬錦江濱，酒隱紅塵。黄金選勝鶯花海，倚疏狂、驅使青春。弄笛魚龍盡出，題詩風月俱新。自憐華髮滿紗巾，猶是官身。鳳樓曾記當時語，問浮名、何似身親？欲寫吴箋説與，這回真個閑人。』前輩風流雅韵，猶可想見也。

陸淞

淞字子逸，號雪溪，山陰人。《**耆舊續聞**》云：陸辰州子逸，左丞佃之孫，晚以疾廢，卜築於秀野，越之佳山水也。放傲世間，不復有榮念，對客則終日清談不倦，尤好語前輩事。

瑞鶴仙

臉霞紅印枕，睡覺來、冠兒還是不整。屏間麝煤冷，但眉峰壓翠，泪珠彈粉。堂深晝永，燕交飛、風簾露井。恨無人、説與相思，近日帶圍寬盡！　重省，殘燈朱幌，淡月紗窗，那時風景。陽臺路迥，雲雨夢，便無準。待歸來，先指花梢教看，却把心期細問。問因循、過了青春，怎生意穩？

《**耆舊續聞**》云：南渡初，南班宗子，寓居會稽，爲近屬，士子最盛，園亭甲於浙東。一時坐客，皆騷人墨士，陸子逸嘗與焉。士有侍姬盼盼者，色藝殊絶，公每屬意焉。一日宴客偶睡，不預捧觴之列，陸因問之，士即呼至，其枕痕猶在臉。公爲賦《瑞鶴仙》，有『臉霞紅印枕』之句，一時盛傳，逮今爲雅唱。後盼盼亦歸陸氏。**張叔夏**云：景中帶情，屏去浮艷。

韓元吉

元吉字无咎，號南澗，許昌人。門下侍郎維四世孫，東萊先生呂伯恭之外舅也。官至吏部尚書，有《焦尾集》，詞一卷。子淲仲止，有詩名。

水龍吟　書英華事

雨餘叠巘浮空，望中秀色仙都是。洞天未鎖，人間春老，玉妃曾墜。錦瑟繁弦，鳳簫清響，九霄歌吹。問分香舊事，劉郎去後，知誰伴、風前醉？　回首暝烟千里，但紛紛、落紅如洗。多情易老，青鸞何許，詩成誰寄？斗轉參横，半簾花影，一溪寒水。悵飛鳧路杳，行雲夢遠，有三峰翠。

《耆舊續聞》云：元豐中，縉雲令開封李長卿女，慧性過人，姿度不凡。染疾逝，殯於邑之仙岩寺三峰閣，李公罷，因舁歸。宣和庚子，青溪寇起，焚燎無遺，惟三峰閣獨存，主簿以爲廨舍。濟南王傅慶及内表曹潁偕來，館曹於廳治之東。一夕，有女子打扃而至，與語，皆出塵氣。詰其姓氏，曰開封李長卿女，季萼其名，英華其字，辟穀有年，身輕於羽，知子鰥居，故來相慰。唱和殆無虚日。曹有親陳觀察挽之從軍，將就道，英華與訣曰：『妾與君之緣斷矣，子宿緣寡淺，塵業未償，他日當有兵難。敬授靈香一瓣，有急請爇以告，當陰有所護，不然，亦無如之何也！』曹公勇爲朔方之行，不意獲譴麾下，追惟英華之言，欲取所遺香爇之。軍行無宿火，卒正法。英華詩有云『醒酒清風摇竹去，催詩小雨過山來』，非詩人所易到也。

《文獻通考》云：《英華集》三卷，李季萼爲鬼仙，縉雲人。傳其詩亦怪矣。

《墨莊漫録》云：處州縉雲簿廳，爲武尉司。頃有一婦人，常現形與人接，妍麗閑婉，有殊色。其來也，异香芬馥，非世間之香。自稱曰英華，或曰緑華。前後官此者，多爲所惑。永嘉蔣輝遠爲邑簿，祠以香火，其怪遂絶。

好事近　汴京賜宴

凝碧舊池頭，一聽管弦凄切。多少梨園聲在，總不堪華髮。　杏花無處避春愁，也傍野花發。惟有御溝聲斷，似知人嗚咽。

《金史·交聘表》云：大定十三年三月癸巳朔，宋遣試禮部尚書韓元吉、利州觀察使鄭興裔等，賀萬春節。**按**宋孝宗乾道九年，爲金世宗大定十三年，南澗《汴京賜宴》之詞，當是此時作。

姚寛

寛字令威，號西溪。《會稽續志》：姚寛，嵊人。以父舜明任補官，權尚書户部員外郎，樞密院編修官。詞章之外，頗工篆隸及工伎之事。請用韓世忠舊法，以意增損，爲三弓合彈弩，詔許之。既成，矢激二里，所中皆没羽。又嘗論大駕鹵簿指南車，得古不傳之法。所著有《西溪集》十卷、注司馬遷《史記》一百三十卷、《西溪叢語》一卷、《玉璽書》一卷。

葉水心《跋西溪集》云：公著書二百卷，古今同异，無不概括。惜其盛年不預採録，晚始召對殿中，忽感風眩而死。

菩薩蠻

斜陽山下明金碧，畫樓返照融春色。睡起揭簾旌，玉人蟬鬢輕。

無言空佇立，花落東風急。燕子引愁來，眉愁那得開。

生查子

郎如陌上塵，妾似堤邊樹。一作絮 相見兩悠揚，踪迹無尋處。

酒面撲春風，泪眼零秋雨。過了别離時，還解相思否？

吴琚

琚字居父，號雲壑，汴人。憲聖太后之侄，太寧郡王益之子。歷尚書郎、部使者、直學士。慶元間，以鎮安節度使留守建康，還少保，卒謚忠惠。有《雲壑集》。

柳梢青 元日立春

彩仗鞭春，椒盤迎旦，斗柄回寅。拂面東風，雖然料峭，終是寒輕。

帶花折柳心情，怎捱得、元宵放燈？不是東園，有些殘雪，先去踏青。

浪淘沙

雲葉弄輕陰，屋角鳩鳴。青梅著子欲生仁。冷落江天寒食雨，花事關情。　池館晝盈盈，人耐寒輕。一川芳草只銷凝。時有入簾新燕子，明日清明。

又

岸柳可藏鴉，路轉溪斜。忘機鷗鷺立汀沙。咫尺鍾山迷望眼，一半雲遮。　臨水整烏紗，兩鬢蒼華。故鄉心事在天涯。幾日不來春便老，開盡桃花。

《景定建康志》引此詞，題云：「游青溪呈馬野亭。」野亭跋其後云：「秦淮海之詞，獨擅一時，字未聞；米寶晉善詩，然終不及字；若公，可謂兼之矣。辛酉季春承議郎充江南東路轉運司主管文字馬之純謹書。」

《武林舊事》：淳熙十年八月十八日，駕詣德壽宮，奉迎上皇觀潮。百戲撮弄，各呈技藝，上皇喜曰：「錢唐形勝，天下所無！」上起奏曰：「江潮亦天下所獨。」宣諭侍臣各賦《酹江月》一闋，至晚呈上，以吴琚爲第一。其詞曰：「玉虹

遥挂，望青山隱隱，恍如一抹。忽覺天風吹海立，好似春霆初發。白馬凌空，瓊鰲駕水，日夜朝天闕。飛龍舞鳳，鬱葱環拱吴越。此景天下應無，東南形勝，偉觀真奇絶。好是吴兒飛彩幟，蹴起一江秋雪。黄屋天臨，水犀雲擁，看擊中流楫。晚來波静，海門飛上明月。」兩宫賞賜無限，至月上始還。

辛棄疾

棄疾字幼安，號稼軒，歷城人。耿京聚兵山東，節制忠義軍馬，留掌書記。奉表來歸，高宗召見，授承務郎，差簽判江陰。累官浙東安撫，加龍圖閣待制，樞密院都承旨。德祐初，以謝枋得請，贈少師，謚忠敏。有《稼軒長短句》十二卷。

劉後村云：公所作，大聲鞺鞳，小聲鏗鍧，横絶六合，掃空萬古。其穠麗綿密者，亦不在小晏、秦郎之下。

摸魚兒

更能消幾番風雨？匆匆春又歸去。惜春長怕花開早，何况落紅無數。春且住！見説道、天涯芳草無歸路。怨春不語。算只有殷

勤，畫檐蛛網，盡日惹飛絮。 長門事，準擬佳期又誤。蛾眉曾有人妒。千金縱買相如賦，脉脉此情誰訴？ 君莫舞，君不見，玉環飛燕皆塵土！ 閑愁最苦。休去倚危欄，斜陽正在，烟柳斷腸處。

《鶴林玉露》云： 辛幼安《晚春·摸魚兒》詞意殊怨，「斜陽」、「烟柳」之句，比之「未須愁日暮，天際是輕陰」者异矣。使在漢、唐時，寧不賈種豆種桃之禍哉！ 愚聞壽皇見此詞，頗不悦，然終不加罪，可謂盛德也已。

瑞鶴仙　梅

雁霜寒透幕，正護月雲輕，嫩冰猶薄。溪奩照梳掠，想含香弄粉，靚妝難學。玉肌瘦弱，更重重、龍綃襯著。倚東風、一笑嫣然，轉盼萬花羞落。 寂寞，家山何在？ 雪後園林，水邊樓

閣。瑶池舊約，鱗鴻更仗誰托？ 粉蝶兒只解，尋花覓柳，開遍南枝未覺。但傷心、冷淡黄昏，數聲畫角。

祝英臺近

寶釵分，桃葉渡，烟柳暗南浦。怕上層樓，十日九風雨。斷腸點點飛紅，都無人管，倩誰勸、啼鶯聲住？ 鬢邊覷，應把花卜歸期，纔簪又重數。羅帳燈昏，哽咽夢中語： 是他春帶愁來，春歸何處？ 却不解、帶將愁去！

《貴耳集》云： 吕婆，吕正己之妻。正己爲京畿漕，有女事辛幼安，因以微事觸其怒，竟逐之。今稼軒「桃葉渡」詞，因此而作。

《詞旨·警句》： 應把花卜歸期，纔簪又重數。（祝英臺近）是他春帶愁來，春歸何處？ 却不解、帶將愁去！（同上）

《歸潛志》： 党懷英、辛棄疾少同舍屬。金國初亂，辛率數千騎南渡，顯於宋。党在北，擢第入翰林，二公皆有榮寵。後辛

退閑，有《鷓鴣天》云：『壯歲旌旗擁萬夫，錦襜突騎渡江初。燕兵夜娖銀胡𩨯，漢箭朝飛金僕姑。追往事，嘆今吾，春風不染白髭鬚。都將萬字平戎策，換得東郊種樹書。』

《清波别志》：稼軒在上饒屬，其室病，呼醫對脉，吹笛婢名整整者侍側，乃指以謂醫曰：『老妻病安，以此人爲贈。』不數日，果勿藥，乃踐前約。整整去，因口占《好事近》云：『醫者索酬勞，那得許多錢帛。只有一個整整，也合盤盛得。下官歌舞轉凄凉，剩得幾枝笛。覷著者般火色，告媽媽將息。』一時戲謔，風調不群。

《太平清話》：鉛山縣南二里許，有稼軒書院，分水嶺下，厥墓在焉。張埜《古山樂府·水龍吟·酹辛稼軒墓》云：『嶺頭一片青山，可能埋没凌雲氣？遐方异域，當年滴盡，英雄清泪。星斗撑腸，雲烟盈紙，縱横游戲。謾人間留得，陽春白雪，千載下，無人繼。不見戟門華第，見蕭蕭、竹枯松悴。問誰料理，帶湖烟景，瓢泉風味。萬里中原，不堪回首，人生如寄！且臨風高唱，逍遥舊曲，爲先生酹。』

劉 過

過字改之，號龍洲道人，太和人。有《龍洲集》，詞一卷。

黄叔暘云：改之，稼軒之客，詞多壯語，蓋學稼軒者也。

陶九成云：改之造詞贍逸，有思致。

賀新郎

老去相如倦。向文君、説似而今，怎生消遣？衣袂京塵曾染處，空有香紅尚軟。料彼此、魂銷腸斷。一枕新凉眠客舍，聽梧桐疏雨秋聲顫。燈暈冷，記初見。　樓低不放珠簾捲。晚妝殘、翠鈿狼藉，泪痕凝臉。人道愁來須殢酒，無奈愁多酒淺。但托意、焦琴紈扇。莫鼓琵琶江上曲，怕荻花楓葉俱凄怨。雲萬疊，寸心遠。

《龍洲詞》題云：去年秋，余試牒四明，賦贈老娼，至今天下與禁中皆歌之。江西人來，以爲鄧南秀詞，非也。

唐多令

蘆葉滿汀洲，寒沙帶淺流。二十年、重到南樓。柳下繫船猶未穩，能幾日，又中秋。　黃鶴斷磯頭，故人今在否？舊江山、總是新愁。欲買桂花重載酒，終不似，少年游。

《龍洲詞》題云：安遠樓小集，侑觴歌板之姬黃其姓者，乞詞於龍洲道人，爲賦此《唐多令》。同柳阜之、劉去非、石民瞻、周嘉仲、陳孟參、孟容，時八月五日也。

《花庵詞選》題云：重過武昌。

醉太平

情高意真，眉長鬢青。小樓明月調箏，寫春風數聲。　思君憶君，魂牽夢縈。翠綃香暖雲屏，更那堪酒醒！

《詞旨·警句》：翠綃香暖雲屏，更那堪酒醒！（醉太平）

《吹劍録》：稼軒帥越，招劉改之，不去，乃寄情《沁園春》曰：『斗酒彘肩，風雨渡江，豈不快哉？被香山居士，約林和靖，與東坡老，駕勒吾回。坡謂「西湖，正如西子，濃抹淡妝臨照臺」。二人者，俱掉頭不顧，只管傳杯。白云「天竺去來，看金碧峥嶸圖畫開。更縱横一澗，東西水繞；兩山南北，高下雲堆」。逋曰「不然，暗香疏影，何似孤山先探梅」。須晴去，訪稼軒未晚，且此徘徊。』此詞雖粗而局段高，與三賢游，固可睨視稼軒。視林、白之清致，則東坡所謂『淡妝濃抹』，已不足道。稼軒富貴，焉能浼我哉？

《江湖紀聞》：劉改之，性疏豪好施，辛稼軒客之。稼軒帥淮時，改之以母病告歸，囊橐蕭然。是夕，稼軒與改之微服登倡樓，適一都吏命樂飲酒，不知爲稼軒也，命左右逐之。二公大笑而歸，即以爲有機密文書，喚某都吏，其夜不至。稼軒欲籍其産而流之，言者數十，皆不能解，遂以五千緡爲改之母壽，請言於稼軒，稼軒曰：『未也，令倍之。』都吏如數，增作萬緡。稼軒爲買舟於岸，舉萬緡於舟中曰：『可即行，無如常日輕用也。』改之作《念奴嬌》爲別云：『知音者少，算乾坤許大，著身何處？直待功成方肯退，何日可尋歸路？多景樓前，垂虹亭下，一枕眠秋雨。虛名相誤，十年枉費辛苦。不是奏賦明光，上書北闕，無驚人之語。我自匆忙天不肯，贏得衣裾塵土。白璧堆前，黃金買笑，付與君爲主。蓴鱸江上，浩然明月歸去。』

《游宦紀聞》：予於菊磵高九萬處，見蘇紹叟手書《憶劉改之·摸魚兒》一闋云：『望關河、試窮遥眼，新愁似絲千縷。劉郎豪氣今何在？應是九疑三楚。堪恨處，便拚得、一生寂寞長羈旅。無人寄語，但吊麥傷桃，邊松倚竹，空憶舊詩句。

文章事，到底將身自誤，功名難料遲暮。鶉衣簞食年年瘦，受侮世間兒女。君信否，盡縣簿高門，歲晚誰青顧？何如引去，任槎上張騫，山中李廣，商略盡風度。』紹叟有《泠然詩集》十卷行於世。

謝懋

懋字勉仲，有《靜寄居士樂章》二卷。

黃叔暘云：《居士樂章》，吴坦伯明爲序，稱其『片言隻字，戛玉敲金，蘊藉風流，爲世所賞』。

驀山溪

厭厭睡起，無限春情緒。柳色借輕烟，尚瘦怯、東風倦舞。海棠紅皺，不奈晚來寒，簾半捲，日西沉，寂寞閑庭户。　飛雲無據，化作冥濛雨。愁裏見春來，又只恐、愁催春去。惜花人老，芳草夢凄迷，題欲遍，瑣窗紗，總是傷春句。

風入松

老年常憶少年狂，宿粉栖香。自憐獨得東君意，有三年、窺宋東墻。笑舞落花紅影，醉眠芳草斜陽。　事隨春夢去悠揚，休去思量。近來眼底無姚魏，有誰更、管領年芳？換得河陽衰鬢，一簾烟雨梅黃。

浪淘沙

黃道雨初乾，霽靄空蟠。東風楊柳碧毿毿。燕子不歸花有恨，小院春寒。　倦客亦何堪，塵滿征衫。明朝野水幾重山。歸夢已隨芳草綠，先到江南。

霜天曉角 桂花

綠雲剪葉，低護黃金屑。占斷花中聲譽，香和韵、兩清潔。

勝絶，君聽説，當時來處别。試看仙衣猶帶，金庭露、玉階月。

《詞旨·警句》：燕子不歸花有恨，小院春寒。（浪淘沙）

章良能

良能字達之，麗水人。淳熙五年進士，除著作佐郎。嘉泰元年，爲起居舍人。寧宗朝，居兩制，登政地，謚文莊。有《嘉林集》百卷。

小重山

柳暗花明春事深，小闌紅芍藥、已抽簪。雨餘風軟碎鳴禽，遲遲日，猶帶一分陰。

往事莫沉吟，身閑時序好、且登臨。舊游無處不堪尋，無尋處，惟有少年心。

《齊東野語》：外大父文莊章公，自少好雅潔，性滑稽。居一室，必汛掃圬飾，陳列琴書，親朋或譏其齷齪無遠志。一日，大書素屏云：『陳蕃不事一室，而欲掃除天下，吾知其無能爲矣！』識者知其不凡。間作小詞，極有思致。先妣能口誦數首《小重山》云云。

陳亮

亮字同甫，號龍川，永康人。隆興初，以解頭薦上《中興五論》，不報，居太學上舍。紹熙四年，光宗親策進士，擢爲第一，授建康軍簽判，未至官，病，一夕而卒。端平初，謚文毅。有《龍川集》，詞二卷。

葉水心云：同甫長短句四卷，每一章成，輒自嘆曰：『平生經濟之懷，略已陳矣！』予所謂微言，多此類也。

水龍吟

鬧花深處層樓，畫簾半捲東風軟。春歸翠陌，平莎茸嫩，垂楊金淺。遲日催花，淡雲閣雨，輕寒輕暖。恨芳菲世界，游人未賞，都付與、鶯和燕！　寂寞憑高念遠，向南樓、一聲歸雁。金釵鬥草，青絲勒馬，風流雲散。羅綬分香，翠綃封泪，幾多幽怨。正銷魂又是，疏烟淡月，子規聲斷。

《詞旨·屬對》：羅綬分香，翠綃封泪。

《龍川詞·好事近·咏梅》云：的皪三兩枝，點破暮烟蒼碧。好在屋檐斜處，傍玉奴吹笛。月華如水過林塘，花影弄苔石。欲向夢中飛蝶，恐幽香難覓。

真德秀

德秀字希元，浦城人。慶元五年進士，授南劍州判官。繼試，中博學宏詞科，爲太學正。紹定中，召爲禮部侍郎，拜參知政事，進資政殿直學士，提舉萬壽觀。卒謚文忠，學者稱西山先生。有《真文忠公集》五十四卷。

蝶戀花　紅梅

兩岸月橋花半吐，紅透肌香，暗把游人誤。盡道武陵溪上路，不知迷入江南去。　先自冰霜真態度，何事枝頭，點點胭脂污？莫是東君嫌淡素？問花花又嬌無語。

劉光祖

光祖字德修，號後溪，簡州人。登進士第。慶元初，官侍御史，改司農少卿，遷起居郎。終顯謨閣直學士，提舉嵩山崇福宮，卒。有《鶴林詞》一卷。

洞仙歌　敗荷

晚風收暑，小池塘荷静，獨倚胡床酒初醒。起徘徊、時有香氣吹來，雲藻亂，葉底游魚動影。　空擎承露蓋，不見冰容，惆悵明妝曉鸞鏡。後夜月涼時，月淡花低，幽夢覺、欲憑誰省？　也應記、臨流凭闌干，便遥想江南，紅酣千頃。

《鶴林詞·踏莎行》：掃徑花零，閉門春晚，恨長無奈東風短。起來消息探荼蘼，雪條玉蕊都開遍。晚月魂清，夕陽香遠，故山别後誰拘管？多情於此更情多，一枝嗅罷還重拈。

魏了翁《鶴山集》：劉左史光祖之生正月十日，李夫人之生以十九日，賦《浪淘沙》寄之：『鶴外倚樓看，雲颭晴天。天高鷄犬礙雲關。掉臂雙仙留不徹，還住人間。客佩振珊珊，來賀平安。年年直待卷燈還。似是天公偏著意，占破春閑。』

蔡柟

柟字堅老，南城人。宣和以前人，没於乾道庚寅。曾公卷、吕居仁輩皆與之倡和。有《雲壑隱居集》三卷，詞有《浩歌集》一卷。**趙希弁《讀書附志》**云：嘗爲宜春别駕。

鷓鴣天

病酒厭厭與睡宜，珠簾羅幕捲銀泥。風來緑樹花含笑，恨入西樓月斂眉。　驚瘦盡，怨歸遲，休將桐葉更題詩。不知橋下無情水，流到天涯是幾時？

洪咨夔

咨夔字舜俞，號平齋，於潜人。嘉定二年進士，累官刑部尚書，翰林學士，知制誥，加端明殿學士，提舉萬壽觀。端平三年卒，謚忠文。有《平齋集》，詞一卷。

眼兒媚

平沙芳草渡頭村，緑遍去年痕。游絲上下，流鶯來往，無限銷魂。綺窗深静人歸晚，金鴨水沉温。海棠影下，子規聲裏，立盡黄昏。

《詞旨·警句》： 海棠影下，子規聲裏，立盡黄昏。（眼兒媚）

《平齋詞·南鄉子·德清舟中和韵》云： 霜月冷娉婷，夾岸蘆花雪點成。短艇水晶宫裏繫，閑情。誰道芙蓉更有城？ 阿鵲數歸程，人倚低窗小畫屏。莫恨年華飛上鬢，堪憑。一度春風一度鶯。

岳珂

珂字肅之，號亦齋，亦號倦翁，相臺人。忠武王孫，敷文閣待制霖子。管内勸農使，知嘉興，歷官户部侍郎、淮東總領兼制置使。有《玉楮集》、《媿郯録》、《讀史備忘》、《東陲事略》、《桯史》、《籲天辨誣録》、《金陀粹編》行世。

滿江紅

小院深深，悄鎮日、陰晴無據。春未足、閨愁難寄，琴心誰與？曲徑穿花尋蛺蝶，虚闌傍日教鸚鵡。笑十三楊柳女兒腰，東風舞。 雲外月，風前絮；情與恨，長如許。想綺窗今夜，與誰凝佇？洛浦夢回留珮客，秦樓聲斷吹簫侶。正黄昏時候杏花寒，廉纖雨。

生查子

芙蓉清夜游，楊柳黄昏約。小院碧苔深，潤透雙鴛薄。 暖玉慣春嬌，簌簌花鈿落。缺月故窺人，影轉闌干角。

《京口三山志》： 岳珂《登多景樓·祝英臺近》云：『瓮城高，盤徑近，十里笋輿穩。欲駕還休，風雨苦無準。古來多少英雄，平沙遺恨，又總被、長江流盡。倩誰問，因甚衣帶中分？ 吾家自畦畛。落日潮頭，慢寫屬鏤憤。斷腸烟樹揚州，興亡休論，正愁盡、河山雙鬢。』

張　鎡

鎡字功甫，號約齋，西秦人。循王諸孫。居臨安，官奉議郎。有《玉照堂詞》一卷。

念奴嬌　宜雨亭咏千葉海棠

緑雲影裏，把明霞、織就千里文綉。紫膩紅嬌扶不起，好是未開時候。半怯春寒，半便晴色，養得胭脂透。小亭人静，嫩鶯啼破春晝。　猶記携手芳陰，一枝斜戴，嬌艶波雙秀。小語輕憐花總見，争得似花長久。醉淺休歸，夜深同睡，明日還相守。免教春去，斷腸空嘆詩瘦。

《武林舊事》云：張約齋桂隱百課，在南湖。有玉照堂梅花四百株，蒼寒堂青柏二百株，艶香館雜春花百餘，摻碧宇修竹十畝，蕊珠洞荼蘼二十五株，緑畫軒木犀臨砌，書葉軒柿二十株，餐霞軒櫻桃三十餘株，宜雨亭海棠二十株夾流水，滿霜亭橘五十餘株。

昭君怨　園池夜泛

月在碧虚中住，人向亂荷中去。花氣雜風凉，滿船香。　雲被歌聲摇動，酒被詩情掇送。醉裏卧花心，擁紅衾。

《玉照堂詞·咏菱·鵲橋仙》云：連汀接淑，縈蒲帶藻，萬葉香浮光滿。濕烟吹霽木蘭輕，照波底、紅嬌翠婉。玉纖採來，銀籠携去，一曲山長水遠。彩鴛雙慣貼人飛，恨南浦、離多夢短。

盧祖皋

祖皋字申之，號蒲江，永嘉人。慶元中登進士第，爲軍器少監。嘉定十四年，權直學士院。有《蒲江詞》一卷。

黄叔暘云：蒲江，樓攻媿之甥，趙紫芝、翁靈舒之詩友，樂章甚工，字字可入律吕。

《東嘉姓譜》：盧申之，嘉定中以軍器少監直北門屬，時慶澤孔殷，綸言沓布，臯抒思泉涌，號爲稱職。俄卒於官。工樂府，江浙間多歌之。

宴清都 初春

春訊飛瓊管，風日薄、度墻啼鳥聲亂。江城次第，笙歌翠合，綺羅香暖。溶溶澗緑冰泮，醉夢裏、年華暗換。料黛眉、重鎖隋堤，芳心暗動梁苑。 新來雁闊雲音，鸞分鏡影，無計重見。啼春細雨，籠愁淡月，恁時庭院。離腸未語先斷，算猶有、憑高望眼。更那堪、芳草連天，飛梅弄晚。

江城子

畫樓簾幕捲新晴，掩銀屏，曉寒輕。墜粉飄香，日日喚愁生。暗數十年湖上路，能幾度，著娉婷。 年華空自感飄零，擁春酲，對誰醒？ 天闊雲閑，無處覓簫聲。載酒買花年少事，渾不似，舊心情。

賀新涼

彭傳師於吴江三高堂之前，作釣雪亭，蓋擅漁人之窟宅，以供詩境也。趙子野命予賦之。

挽住風前柳。問鴟夷、當日扁舟，近曾來否？ 月落潮生無限事，零亂茶烟未久。謾留得、蒓鱸依舊。可是從來功名誤，撫荒祠、誰繼風流後？ 今古恨，一搔首。 江涵雁影梅花瘦。四無塵、雪飛風起，夜窗如晝。萬里乾坤清絶處，付與漁翁釣叟。又恰是、題詩時候。猛拍闌干呼鷗鷺，道他年、我亦垂綸手。飛過我，共樽酒。

《桯史》云：彭傳師，名法，以恩科得官，依錢東巖之門。督府嘗欲舉以使金，不克遣。終老於選調云。

《中吴紀聞》云：越上將軍范蠡，江東步兵張翰，贈右補闕陸龜蒙，各有畫像在吴江鱸鄉亭旁。東坡嘗有《吴江三賢畫像》詩，後易其名曰『三高』，且更爲塑像。臞菴主人王文孺獻其地雪灘，因遷之。今在長橋之北，與垂虹亭相望，石湖居士爲之記。

《吴郡志》云：三高祠，在吴江縣垂虹橋北，即王氏臞菴之雪灘也。昔堂在垂虹南，地極偏仄。乾道三年，縣令趙伯虡徙之雪灘。又云：臞菴，在松江之濱，邑人王份有超俗趣，營此以居。圍江湖以入圃，故多柳塘花嶼，景物秀野，名聞四方，一時名勝喜游之，皆爲題詩。圃中有與閑、平遠、種德及烟雨觀、横秋閣、凌風臺、鬱峨城、釣雪灘、琉璃沼、臞翁澗、竹廳、龜巢、雲關、纈林、楓林等處，而浮天閣爲第一，總謂之臞菴。份字文孺，以特恩補官，嘗爲大冶令，歸老焉。

《嘉靖吴江縣志》：釣雪亭，在雪灘，宋嘉泰二年縣尉彭法建，華亭林至記。

倦尋芳 春思

香泥壘燕，密葉巢鶯，春晴寒淺。花徑風柔，著地舞茵紅軟。門草烟欺羅袂薄，鞦韆影落春游倦。醉歸來，記寶帳歌慵，錦屏春暖。　別來悵、光陰容易，還又荼蘼，牡丹開遍。妒恨疏狂，那更柳花盈面。鴻羽難憑芳信短，長安猶近歸期遠。倚危樓，但鎮日、綉簾高捲。

清平樂

錦屏開曉，寒入宫羅峭。脉脉不知春又老，簾外舞紅多少。　舊時駐馬香階，如今細雨蒼苔。殘夢不成重理，一雙蝴蝶飛來。

又

柳邊深院，燕語明如剪。消息無憑聽又懶，隔斷畫屏雙扇。

寶杯金縷紅牙，醉魂幾度兒家。何處一春游蕩，夢中猶恨楊花。

謁金門

香漠漠，低捲水風池閣。玉腕籠紗金半約，睡濃團扇落。　雨過凉生雲薄，女伴棹歌聲樂。採得雙蓮迎笑剥，柳陰多處泊。

又

風不定，移去移來簾影。一雨池塘新緑净，杏梁歸燕并。　翠袖玉屏金鏡，薄日綺疏人静。心事一春疑酒病，鳥啼花滿徑。

烏夜啼

幾曲微風按柳，生香暖日蒸花。鴛鴦睡足方塘晚，新緑小窗紗。　尺素難將情緒，嫩羅還試年華。憑高無處尋殘夢，春思入琵琶。

又　西湖

漾暖紋波颭颭，吹晴絲雨濛濛。輕衫短帽西湖路，花氣撲青驄。　鬥草褰衣濕翠，鞦韆瞥眼飛紅。日長不放春醪困，立盡海棠風。

張履信

履信字思順，號游初，鄱陽人。侍郎南仲之孫。嘗監江口鎮，官至連江守。

柳梢青

雨歇桃繁，風微柳静，日淡湖灣。寒食清明，雖然過了，未覺春閑。　行雲掩映春山，真水墨、山陰道間。燕語侵愁，花飛撩恨，人在江南。

謁金門

春睡起，小閣明窗兒底。簾外雨聲花積水，薄寒猶在裏。　欲起還慵未起，好是孤眠滋味。一曲《廣陵》應忘記，起來調緑綺。

周文璞

文璞字晉仙，號方泉，又號野齋，又號山楹，陽穀人。有《方泉先生集》二卷。子伯弢，能詩。

一剪梅

風韵蕭疏玉一團，更著梅花，輕裊雲鬟。這回不是戀江南，只爲温柔，天上人間。　賦罷閑情共倚闌，江月庭蕪，總是銷魂。流蘇斜掩燭花寒，一樣眉尖，兩處關山。

張伯雨《貞居詞》云：周晉仙《浪淘沙》云：『還了酒家錢，便好安眠。大槐宫裏著貂蟬。行到江南知是夢，雪壓漁船。盤礴古梅邊，也是前緣。鵝黄雪白又醒然。一事最奇君聽取，明日新年。』晉仙，宋南渡來名士，一號方泉老人。此詞鮮於困學每愛書之。百年後，方外士張伯雨追和一章，以爲笑樂，惜困學公不能爲我賞音！『挑下杖頭錢，取次高眠。玉梅金縷孟家蟬。説著錢塘都是夢，懶問游船。誰信酒壚邊，别有仙緣？自家天地一陶然。醉寫桃符都不記，明日新年。』

徐照

照字道輝，又字靈暉，號山民，永嘉人。與徐璣、翁卷、趙師秀號『永嘉四靈』。詩皆工晚唐體。有《山民集》。

南歌子

簾景篩金綫，爐烟裊翠絲。菰芽新出滿盆池，喚取玉瓶添水買魚兒。

意取釵重碧，慵梳髻翅垂。相思無處説相思，笑把畫羅小扇覓春詞。

清平樂

緑圍紅繞，一枕屏山曉。怪得今朝偏起早，笑道牡丹開了。

迎人捲上珠簾，小螺未拂眉尖。貪教玉籠鸚鵡，楊花飛滿妝奩。

阮郎歸

緑楊庭户静沉沉，楊花吹滿襟。晚來閑向水邊尋，驚飛雙浴禽。

分別後，重登臨，暮寒天氣陰。妾心移得在君心，方知人恨深。

《詞旨·警句》：相思無處説相思，笑把畫羅小扇覓春詞。（南歌子）妾心移得在君心，方知人恨深。（阮郎歸）

俞灝

灝字商卿，世居杭。紹熙四年進士。開禧議開邊，政府密引灝畫計，灝言：『輕脱寡謀之人不可信，趙良嗣、張覺往轍可鑒。』歷秉麾節，皆有聲。寶慶二年致仕，築室九里松，自號青松居士。有《青松居士集》。

點絳唇

欲問東君，爲誰重到江頭路？斷橋薄暮，香透溪雲渡。細草平沙，愁入凌波步。今何許？怨春無語，片片隨流水。

潘　牥

牥字庭堅，號紫巖，閩人。端平二年進士，廷對第三人，歷太學正，通判潭州。有《紫巖集》。

南鄉子

生怕倚闌干，閣下溪聲閣外山。空有舊時山共水，依然。暮雨朝雲去不還。　想見躡飛鸞，月下時時認佩環。月又漸低霜又下，更闌。折得梅花獨自看。

《劉後村詩話》題云：鐔津懷舊。**花庵《絶妙詞選》題云：**題南劍州妓館。

《劉後村詩話》：延平樂籍中，有能墨竹草聖者，潘廷堅爲賦《水龍吟》，美其書畫，末云：『玉帶懸魚，黄金鑄印，侯封萬户。待從頭、繳納君王，覓取愛卿歸去。』余罷袁守，歸塗赴郡集，席間借觀。今不復有此雋人矣！

《吴中舊事》：潘庭堅《羽仙歌》云：『雕檐綺户，倚晴空如畫，曾是吴王舊臺榭。自浣紗去後，落日平蕪，行雲斷、幾見花開花謝。凄涼闌干外，一簇江山，多少圖王共爭霸。莫閑愁、金杯瀲灎，對酒當歌，歡娱地，夢中興亡休話。漸倚遍、西風晚潮生，明月裏、鷺鷥背人飛下。』

劉　翰

翰字武子，長沙人。吴雲壑居父之客。有《小山集》一卷。

好事近

花底一聲鶯，花上半鈎斜月。月落烏啼何處？點飛英如雪。東風吹盡去年愁，解放丁香結。驚動小亭紅雨，舞雙雙金蝶。

蝶戀花

團扇題詩春又晚，小夢驚殘，碧草池塘滿。一曲銀鈎簾半捲，緑窗睡足鶯聲軟。 瘦損衣圍羅帶減，前度風流，陡覺心情懶。誰品新腔拈翠管，畫樓吹徹江南怨。

清平樂

凄凄芳草，怨得王孫老。瘦損腰圍羅帶小，長是錦書來少。 玉簫吹落梅花，曉烟猶透輕紗。驚起半簾幽夢，小窗淡月啼鴉。

《詞旨·警句》：驚起半簾幽夢，小窗淡月啼鴉。（清平樂）

劉子寰

子寰字圻父，號篁㟤，建陽人，居麻沙。早登朱子之門。劉後村序其詩行世。

霜天曉角

横陰漠漠，似覺羅衣薄。正是海棠時候，紗窗外、東風惡。 惜春春寂寞，尋花花冷落。不會這些情味，元不是、念離索。

《古今詞話》：圻父咏山泉詞云『静坐時看松鼠飲，醉眠不礙山禽浴』，是真得山泉之趣者！

張良臣 俗本作景臣，誤。

良臣字武子，號雪窗，大梁人。避地來鄞，因家焉。隆興元年，試南省，魏文節公杞時爲參詳官，携其三策，見知舉張燾曰：『此文拙古，必故人張武子所爲。』及撤棘，果良臣也。官止監左藏庫。有集十卷，刻於廣信郡。

西江月

四壁空圍恨玉，十香淺捻啼綃。殷雲度雨井桐凋，雁雁無書又到。　別後釵分燕尾，病餘鏡減鸞腰。蠻江豆蔻影連梢，不道參橫易曉。

樓鑰《攻媿集·書張武子詩後》云：與武子評詩，謂當有悟入處，非積學所能到也。君讀之，以爲得我意。又嘗自哦其詩曰：『客向愁中都老盡，只留平楚伴銷凝。』又哦其詞云：『昨日豆花籬下過，忽然迎面好風吹，獨自立多時。』其大約可見矣。閉門讀書，室中無一物。性嗜詩，未嘗强作，或終歲無一語，故所作必絶人。妻孥至不免飢寒，或謂君不爲歲晚計，君曰：『水禽有名信天公者，食魚而不能捕，凝立沙上，俟它禽過，偶墜魚於前，乃拾之，然未聞有餓死者。』其夷澹類此。

錢唐汪　沆
陳　皋同校勘

絶妙好詞箋卷一終

絶妙好詞箋卷二

弁陽老人周密原輯　宛平查爲仁　錢唐厲鶚同箋

姜夔

夔字堯章，鄱陽人。蕭東夫愛其詞，妻以兄子，因寓居吴興之武康，與白石洞天爲鄰，自號白石道人，又號石帚。慶元中，曾上書乞正太常雅樂，得免解訖，不第。有《白石詩》一卷，詞五卷。又有《絳帖平》、《續書譜》、《大樂議》、《張循王遺事》、《集古印譜》。

黄叔暘云：白石詞極精妙，不減清真，其高處，有美成所不能及。

沈伯時云：姜白石清勁知音，未免有生硬處。

張叔夏云：詞要清空，不要質實。姜白石如野雲孤飛，去留無迹。

暗香

舊時月色，算幾番照我，梅邊吹笛？喚起玉人，不管清寒與攀

摘。何遜而今漸老，都忘却、春風詞筆。但怪得、竹外疏花，香冷入瑶席。江國，正寂寂，嘆寄與路遥，夜雪初積。翠樽易泣，紅萼無言耿相憶。長記曾携手處，千樹壓、西湖寒碧。又片片、吹盡也，幾時見得？

《硯北雜志》：小紅，范成大青衣也，有色藝。成大請老，姜夔詣之。一日，授簡徵新聲，夔製《暗香》、《疏影》兩曲，成大使二妓習之，音節清婉。成大尋以小紅贈之。其夕大雪，過垂虹賦詩曰：『自喜新詞韵最嬌，小紅低唱我吹簫。曲終過盡松陵路，回首烟波十四橋。』

疏影　仲吕宮

苔枝綴玉，有翠禽小小，枝上同宿。客裏相逢，籬角黄昏，無言自倚修竹。昭君不慣胡沙遠，但暗憶、江南江北。想珮環、月下

歸來，化作此花幽獨。　猶記深宮舊事，那人正睡裏，飛近蛾綠。莫似春風，不管盈盈，蚤與安排金屋。還教一片隨波去，又却怨、玉龍哀曲。等恁時、重覓幽香，已入小窗橫幅。

《白石道人歌曲》題云： 辛亥之冬，予載雪詣石湖。止既月，授簡索句，且徵新聲。作此兩曲，石湖把玩不已，使妓肄習之，音節諧婉，乃命之曰《暗香》、《疏影》。

張叔夏云： 白石《暗香》、《疏影》二曲，前無古人，後無來者，自立新意，真爲絶唱。《疏影》前段用少陵詩，後段用壽陽事，此皆用事不爲事使。

楊廉夫《東維子集》云： 元松陵陸子敬，居分湖之北，壘石爲山，樹梅成林。取姜白石詞語，名其軒曰『舊時月色』。

揚州慢　仲吕宮

淮左名都，竹西佳處，解鞍少駐初程。過春風十里，盡薺麥青青。自胡馬窺江去後，廢池喬木，猶厭言兵。漸黄昏、清角吹寒，都在空城。　杜郎俊賞，算而今、重到須驚。縱豆蔻詞工，青樓夢好，難賦深情。二十四橋仍在，波心蕩、冷月無聲。念橋邊紅藥，年年知爲誰生？

《白石道人歌曲》題云： 淳熙丙申至日，予過維揚。夜雪初霽，薺麥彌望。入其城，則四顧蕭條，寒水自碧，暮色漸起，戍角悲吟。予懷愴然，感慨今昔，因自度此曲。千巖老人以爲有『黍離』之感也。

玲瓏四犯　黄鐘商

叠鼓夜寒，垂燈春淺，匆匆時事如許！倦游歡意少，俯仰悲今古。江淹又吟《恨賦》，記當時、送君南浦。萬里乾坤，百年身世，惟有此情苦。　揚州柳，垂官路，有輕盈换馬，端正窺户。酒醒明月下，夢逐潮聲去。文章信美知何用，漫赢得、天涯羇旅。

教説與，春來要尋花伴侶。

《白石道人歌曲》題云：越中歲暮，聞簫鼓感懷。

琵琶仙　吴興春游

雙槳來時，有人似、舊曲桃根桃葉。歌扇輕約飛花，蛾眉正奇絶。春漸遠、汀洲自緑，更添了、幾聲啼鴂。十里揚州，三生杜牧，前事休説。　又還是、宮燭分烟，奈愁裏匆匆换時節。却把一襟芳思，與空階榆莢。千萬縷、藏鴉細柳，爲玉樽、起舞回雪。想見西出陽關，故人初别。

《白石道人歌曲》題云：唐李庚《西都賦》『户閉烟浦，家藏畫舟』，惟吴興爲然。春游之盛，西湖未能過也。己酉歲，予與蕭時甫載酒南游，感遇成歌。

張叔夏云：情景交煉，得言外意。**又云**：白石《疏影》、《暗香》、《揚州慢》、《一萼紅》、《琵琶仙》、《淡黄柳》等曲，不惟清虚，且又騷雅。讀之使人神觀飛越！

法曲獻仙音　張彦功官舍

虚閣籠寒，小簾通月，暮色偏憐高處。樹隔離宫，水平馳道，湖山盡入樽俎。奈楚客，淹留久，砧聲帶愁去。　屢回顧，過秋風、未成歸計。誰念我，重見冷楓紅舞。唤起淡妝人，問逋仙、今在何許？　象筆鸞箋，甚如今、不道秀句。怕平生幽恨，化作沙邊烟雨。

《白石道人歌曲》題云：張彦功官舍在鐵冶嶺上，即昔之教坊使宅。高齋下瞰湖山，光景奇絶。予數過之，爲賦此。

念奴嬌　吴興荷花

鬧紅一舸，記來時、長與鴛鴦爲侶。三十六陂人未到，水佩風裳無數。翠葉吹凉，玉容消酒，更灑菰蒲雨。嫣然摇動，冷香飛上詩句。　日暮，青蓋亭亭，情人不見，争忍凌波去。只恐舞衣寒易落，愁入西風南浦。高柳垂陰，老魚吹浪，留我花間住。田田多少，幾回沙際歸路。

《白石道人歌曲》題云：　予客武陵，湖北憲治在焉。古城野水，喬木參天，予與二三友日蕩舟其間，意象幽閑，不類人境。秋水且涸，荷葉出地尋丈，因列坐其下，上不見日，清風徐來，緑雲自動，間於疏處窺見游人畫船，亦一樂也。揭來吴興，數得相羊荷花中；又夜泛西湖，光景奇絶，故以此句寫之。

一萼紅　人日登定王臺

古城陰，有官梅幾許，紅萼未宜簪。池面冰膠，墻腰雪老，雲意

還又沉沉。翠藤共、閑穿徑竹，漸笑語、驚起卧沙禽。野老林泉，故王臺榭，呼唤登臨。　南去北來何事？蕩湘雲楚水，極目傷心。朱户黏鷄，金盤簇燕，空嘆時序侵尋。記曾共、西樓雅集，想垂柳、還裊萬絲金。待得歸鞭到時，只怕春深。

《白石道人歌曲》題云：　丙午人日，余客長沙别駕之觀政堂。堂下曲沼，西負古垣，有盧橘幽篁，一徑深曲；穿徑而南，官梅數十株，如椒如菽，或紅破白露，枝影扶疏。著屐蒼苔細石間，野興横生，亟命駕登定王臺。亂湘流入麓山，湘雲低昂，湘波容與，興盡悲來，醉吟成調。

《方輿勝覽》云：　定王臺，在潭州。俗傳漢長沙定王載米博長安土，築臺於此，以望其母唐姬。張安國名曰『定王臺』，自爲書扁。

齊天樂　蟋蟀

庾郎先自吟《愁賦》，凄凄更聞私語。露濕銅鋪，苔侵石井，都是

曾聽伊處。哀音似訴，正思婦無眠，起尋機杼。曲曲屏山，夜凉獨自甚情緒！　西窗又吹暗雨，爲誰頻斷續，相和砧杵。候館迎秋，離宮吊月，別有傷心無數。豳詩漫與，笑籬落呼燈，世間兒女。寫入琴絲，一聲聲更苦。

《白石道人歌曲》題云：丙辰歲，與張功父會飲張達可之堂，聞屋壁間蟋蟀有聲，功父約予同賦，以授歌者。功父先成，詞甚美；予裵回末利花間，仰見秋月，頓起幽思，尋亦得此。蟋蟀，中都呼爲促織，善鬥。好事者或以二三十萬錢致一枚，鏤象齒爲樓觀以貯之。**又自注云**：宣政間，有士大夫製《蟋蟀吟》。**張叔夏云**：全章皆精粹。所咏瞭然在目，且不留滯於物。

淡黃柳　客合肥

空城曉角，吹入垂楊陌。馬上單衣寒惻惻。看盡鵝黃嫩綠，都是江南舊相識。　正岑寂，明朝又寒食。强携酒、小橋宅。怕梨

花、落盡成秋色。燕燕飛來，問春何在？惟有池塘自碧。

小重山　賦潭州紅梅

人繞湘皋月墜時，斜横花自小、浸愁漪。一春幽事有誰知？東風冷，香遠茜裙歸。　鷗去昔游非，遥憐花可可、夢依依。九疑雲杳斷魂啼，相思血，都沁綠筠枝。

樓鑰《攻媿集》云：潘端叔惠紅梅一本，全體皆江梅也，香亦如之，但色紅爾。來自湖湘，非他種比，自此當稱爲『紅江梅』以別之。王文公、蘇文忠、石曼卿諸公有紅梅詩，意其皆未見此種也。

點絳唇　松江

燕雁無心，太湖西畔隨雲去。數峰清苦，商略黃昏雨。第四

橋邊，擬共天隨住。今何許？凭闌懷古，殘柳參差舞！

《白石道人歌曲》題云：　丁未冬，過吴江作。

《吴郡志》云：松江，在郡南四十五里，禹貢三江之一也。南與太湖接，吴江縣在江濆，垂虹跨其上，天下絶景也。

惜紅衣　吴興荷花　無射宮

枕簟邀涼，琴書換日，睡餘無力。細灑冰泉，并刀破甘碧。墻頭喚酒，誰問訊、城南詩客。岑寂，高柳晚蟬，説西風消息。　虹梁水陌，魚浪吹香，紅衣半狼籍。維舟試望，故國渺天北。可惜柳邊沙外，不共美人游歷。問甚時同賦，三十六陂秋色？

《白石道人歌曲》題云：　吴興號水晶宮，荷花盛麗。陳簡齋云：『今年何以報君恩？一路荷花相送到青墩。』亦可見矣。丁未之夏，余游千巖，數往來紅香中，自度此曲，以無射宮歌之。

《詞旨·屬對》：　虚閣籠寒，小簾通月。池面冰膠，墻腰雪老。翠葉吹涼，玉容銷酒。

《警句》：　千樹壓、西湖寒碧。（暗香）波心蕩、冷月無聲。（揚州慢）墻頭喚酒，誰問訊、城南詩客。岑寂，高柳晚蟬，説西風消息。（惜紅衣）問甚時同賦，三十六陂秋色？（惜紅衣）

《劉後村詩話》：　姜堯章有平聲《滿江紅》，自叙云：『《滿江紅》舊調用仄韵，多不協律；如「無心撲」，歌者將「心」字融入去聲，方諧音律。予欲以平韵爲之，久不能成。因泛巢湖，祝曰：「得一夕風，當以平韵《滿江紅》爲神姥壽。」言訖，風與筆俱駛，頃刻而成。末句「聞珮環」則協律矣。其詞云：「仙姥來時，正一望、千頃翠瀾。旌旗擁、亂雲俱下，依約前山。命駕群龍金作軛，相從諸娣玉爲冠。（廟中列坐如夫人者十五人）向夜深、風定悄無人，聞珮環。神奇處，君試看，奠淮右，阻江南。遣六丁雷電，别守東關。却笑英雄無好手，一篙春水走曹瞞。又怎知、人在小紅樓，簾影間？」此闋甚佳，惜無人能歌之者。』

《澄懷録》云：　姜堯章云：『余别石湖歸吴興，雪後過垂虹，賦詩云：「笠澤茫茫雁影微，玉峰重叠護雲衣。長橋寂寞春寒夜，只有詩人一舸歸。」後五年冬，復與俞商卿、張平甫、銛朴翁自封禺同載詣梁溪。道經吴淞，山寒天迥，雲浪四合，中夕相呼步垂虹，星斗下垂，錯雜漁火，朔風凛凛，卮酒不能支，朴翁以衾自纏，猶相與行吟，因賦《慶宫春》云：「雙槳蒓波，一蓑松雨，暮愁漸滿空闊。呼我盟鷗，翩翩欲下，背人還過木末。那回歸去，蕩雲雪、孤舟夜發。傷心重見，依約眉山，黛痕低壓。採香徑裏春寒，老子婆娑，自歌誰答？　垂虹西望，飄然引去，此興平生難遏。酒醒波遠，正凝想、明璫素襪。如今安在？　唯有闌干，伴人一霎。」』

《耆舊續聞》：　姜堯章嘗寓吳興張仲遠家，仲遠屢出外，其室人知書，賓客通問，必先窺來札，性頗妒。堯章戲作《百宜嬌》以遺仲遠云：『看垂楊連苑，杜若侵沙，愁損未歸眼。信馬青樓去，重簾下、娉婷人妙飛燕。翠尊共款，聽艷歌、郎意先感。便攜手、月地雲階裏，愛良夜微暖。無限風流疏散，有暗藏弓履，偷寄香翰。明日聞津鼓，湘江上、催人還解春纜。亂紅萬點，悵斷魂、烟水遙遠。又爭似相攜，乘一舸，鎮長見。』仲遠歸，竟莫能辨，則受其指爪損面，至不能出外云。

《開慶四明續志》：　吳潛《暗香》、《疏影》二詞序云：『猶記己卯、庚辰之間，初識堯章於維揚。至己丑嘉興再會，自此契闊。聞堯章死西湖，嘗助諸丈爲殯之，今又不知幾年矣！　自昭忽錄示堯章《暗香》、《疏影》二詞，因信手酬酢，并賡潘德久之詞云：「雪來比色，對淡然一笑，休喧笙笛。莫怪廣平，鐵石心腸爲伊折。偏是三花兩蕊，消萬古、才人騷筆。尚記得、醉卧東園，天幕地爲席。回首，往事寂，正雨暗霧昏，萬種愁積。錦江路悄，媒聘音沉兩空憶。終是茅檐竹户，難指望、凌烟金碧。憔悴了、羌管裏，怨誰始得？」（右暗香）「佳人步玉，待月來弄影，天挂參宿。冷透屏幃，清入肌膚，風敲又聽檐竹。前村不管深雪閉，猶自繞、枝南枝北。算平生、此段幽奇，占壓百花曾獨。閑想羅浮舊恨，有人正醉裏，姝翠蛾綠。夢斷魂驚，幾許凄涼，却是千林梅屋。鷄聲野渡溪橋滑，又角引、戍樓悲曲。怎得知、清足亭邊，自在杖藜巾幅。」自注云：　梅聖俞詩云：「十分清意足」，余別墅有梅亭，扁曰「清足」。（右疏影）』

劉仙倫

仙倫一名儗，字叔儗，號招山，廬陵人。有《招山小集》一卷。

江神子

東風吹夢落巫山，整雲鬟，却霜紈。雪貌冰膚，曾共控雙鸞。吹罷玉簫香霧濕，殘月墜，亂峰寒。

解璫回首憶前歡，見無緣，恨無端。憔悴蕭郎，贏得帶圍寬。紅葉不傳天上信，空流水，到人間。

菩薩蠻 效唐人閨怨

吹簫人去行雲杳，香篝綉被都閑了。叠損縷金衣，伊家渾不知。冷烟寒食夜，淡月梨花下。猶有軟心腸，爲他燒夜香。

蝶戀花

小立東風誰共語？碧盡行雲，依約蘭皋暮。誰問離懷知幾許？一溪流水和烟雨。　媚蕩楊花無著處，纔伴春來，忙底隨春去。只恐游蜂黏得住，斜陽芳草江頭路。

一剪梅

唱到陽關第四聲，香帶輕分，羅帶輕分。杏花時節雨紛紛，山繞孤村，水繞孤村。　更没心情共酒樽，春衫香滿，空有啼痕。一般離思兩銷魂，馬上黄昏，樓上黄昏。

霜天曉角 蛾眉亭

倚空絶壁，直下江千尺。天際兩蛾凝黛，愁與恨、幾時極！　暮潮，風正急，酒醒聞塞笛。試問謫仙何處？青山外、遠烟碧。

《方輿勝覽》云：天門山，在當塗縣西南三十里，又名蛾眉山，夾大江，東曰博望，西曰梁山。蛾眉亭在采石山上，望見天門山壁間有詩曰：『中分黛色三千尺，不著人間一點愁。』

《詞旨·警句》：一般離思兩銷魂，馬上黄昏，樓上黄昏。（一剪梅）

孫惟信

惟信字季蕃，號花翁，開封人。在江湖頗有標致，多見前輩，多聞舊事，善雅談，長短句尤工。嘗有官，棄去不仕。有《花翁集》

一卷。

沈伯時云：孫花翁有好詞，亦善運意，但雅正中時有一二市井語。

晝錦堂

薄袖禁寒，輕妝媚晚，落梅庭院春妍。映户盈盈，回倩笑整花鈿。柳裁雲剪腰支小，鳳盤鴉聳髻鬟偏。東風裏，香步翠摇，藍橋那日因緣。

嬋娟，流慧眄，渾當了、匆匆密愛深憐。夢過欄杆，猶認冷月鞦韆。杏梢空鬧相思眼，燕翎難繫斷腸箋。銀屏下，争信有人真個，病也天天！

夜合花

風葉敲窗，露蛩吟甃，謝娘庭院秋宵。鳳屏半掩，釵花映燭紅摇。潤玉暖，膩雲嬌，染芳情、香透鮫綃。斷魂留夢，烟迷楚驛，月冷藍橋。

誰念賣藥文簫，望仙城路杳，鶯燕迢迢。羅衫暗摺，蘭痕粉迹都銷。流水遠，亂花飄，苦相思、寬盡香腰。幾時重恁，玉驄過處，小袖輕招。

燭影摇紅　牡丹

一朵鞓紅，寶釵壓髻東風溜。年時也是牡丹時，相見花邊酒。初試夾紗半袖，與花枝、盈盈鬥秀。對花臨景，爲景牽情，因花感舊。

題葉無憑，曲溝流水空回首。夢雲不到小山屏，真個歡難偶！别後知他安否，軟紅街，清明還又。絮飛春盡，天遠書沉，日長人瘦。

醉思凡

吹簫跨鸞，香銷夜闌。杏花樓上春殘，綉羅衾半閑。　衣寬帶寬，千山萬山。斷腸十二闌干，更斜陽暮寒。

南鄉子

璧月小紅樓，聽得吹簫憶舊游。霜冷闌干天似水，揚州。薄倖聲名總是愁。　塵暗鷫鸘裘，裁剪曾勞玉指柔。一夢覺來三十載，風流。空對梅花白了頭。

《詞旨·屬對》：　薄袖禁寒，輕妝媚晚。

《警句》：　絮飛春盡，天遠書沉，日長人瘦。（燭影摇紅）

劉後村《孫花翁墓志》：　季蕃，貫開封，曾祖昇，祖可，父頫，武爵。季蕃少受祖澤，調監當，不樂，棄去。始婚於婺，後去婺游，留蘇杭最久。一榻之外無長物，躬爨而食。書無乞米之帖，文無逐貧之賦，終其身如此。名重江浙，公卿聞花翁至，爭倒屣。所談非山水風月，一不挂口，長身緼袍，意度疏曠，見者疑爲俠客异人。其倚聲度曲，公瑾之妙；散髮橫笛，野王之逸；奮袖起舞，越石之壯也。

史達祖

達祖字邦卿，號梅溪，汴人。有《梅溪詞》一卷。**《四朝聞見録》**：　韓侂胄爲平章，事倚省吏史達祖奉行文字，擬帖擬旨，俱出其手，侍從柬札，至用申呈。韓敗，遂黥焉。

姜堯章云：　奇秀清逸，有李長吉之韵，蓋能融情景於一家，會句意於兩得。

張功甫云：　史生之作，情詞俱到，織綃泉底，去塵眼中。有瑰奇警邁、清新閑婉之長，而無訑蕩污淫之失，端可分鑣清真，平睨方回。

綺羅香　春雨

做冷欺花，將烟困柳，千里偷催春暮。盡日冥迷，愁裏欲飛還住。驚粉重、蝶宿西園，喜泥潤、燕歸南浦。最妨他、佳約風流，鈿車不到杜陵路。　沉沉江上望極，還被春潮晚急，難尋官渡。隱約遥峰，和泪謝娘眉嫵。臨斷岸、新綠生時，是落紅、帶愁流處。記當日、門掩梨花，剪燈深夜語。

雙雙燕

過春社了，度簾幕中間，去年塵冷。差池欲住，試入舊巢相並。還相雕梁藻井，又軟語、商量不定。飄然快拂花梢，翠尾分開紅影。　芳徑，芹泥雨潤，愛貼地爭飛，競誇輕俊。紅樓歸晚，看足柳昏花暝。應自栖香正穩，便忘了、天涯芳信。愁損玉人，日日畫欄獨凭。

黄叔暘云：形容盡矣。**又云：**姜堯章最賞其『柳昏花暝』之句。

夜行船

不剪春衫愁意態，過收燈、有些寒在。小雨空簾，無人深巷，已早杏花先賣。　白髮潘郎寬沈帶，怕看山、憶他眉黛。草色拖裙，烟光惹鬢，常記故園挑菜。

東風第一枝　春雪

巧剪蘭心，偷黏草甲，東風欲障新暖。謾疑碧瓦難留，信知暮寒較淺。行天入鏡，做弄出、輕鬆纖軟。料故園、不捲重簾，誤了乍來雙燕。　青未了、柳回白眼，紅不斷、杏開素面。舊游憶著山陰，厚盟遂妨上苑。寒爐重暖，且慢放、春衫針綫。恐鳳靴、挑菜歸來，萬一灞橋相見。

黃叔暘云：結句尤爲姜堯章拈出。

又　燈夕

酒館歌雲，燈街舞綉，笑聲喧似簫鼓。太平京國多歡，大酺綺羅幾處。東風不動，照花影、一天春聚。耀翠光、金縷相交，苒苒細吹香霧。　羞醉玉、少年丰度，懷艷雪、舊家伴侣。閉門明月關心，倚窗小梅索句。吟情欲斷，念嬌俊、知人無據。想袖寒、珠絡藏香，夜久帶愁歸去。

喜遷鶯　元宵

月波凝滴，望玉壺天近，了無塵隔。翠眼圈花，冰絲織練，黃道寶光相直。自憐詩酒瘦，難應接、許多春色。最無賴，是隨香趁燭，曾伴狂客。　踪迹，漫記憶，老了杜郎，忍聽東風笛。柳院燈疏，梅廳雪在，誰與細傾春碧？　舊情拘未定，猶自學、當年游歷。怕萬一，誤玉人、夜寒簾隙。

張叔夏云：不獨措詞精粹，又且見時節風物之感。

清商怨

春愁遠，春夢亂，鳳釵一股輕塵滿。江烟白，江波碧，柳户清明，燕簾寒食。憶憶！鶯聲晚，簫聲短，落花不許春拘管。新相識，休相失，翠陌吹衣，畫橋横笛。得得。

蝶戀花

二月東風吹客袂，蘇小門前，楊柳如腰細。蝴蝶識人游冶地，舊曾來處花開未？　幾夜湖山生夢寐，評泊尋芳，只怕春寒裏。今歲清明逢（一作連）上巳，相思先到湔裙水。

玉樓春

社前一日

游人等得春晴也，處處旗亭閑繫馬。雨前紅杏尚娉婷，風裏殘梅無顧藉。　忌拈針指還逢社，鬥草贏多裙欲卸。明朝新燕

定歸來，叮囑重簾休放下。

青玉案

蕙花老盡離騷句，緑染遍、江頭樹。日暝酒消聽驟雨。青榆錢小，碧苔錢古，難買東君住。　官河不礙遺鞭路，被芳草、將愁去。多定紅樓簾影暮。蘭燈初上，夜香初炷，猶自聽鸚鵡。

《詞旨·屬對》：斷浦沉雲，空山挂雨。畫裏移舟，詩邊就夢。做冷欺花，將烟困柳。巧剪蘭心，偷黏草甲。

《警句》：臨斷岸、新緑生時，是落紅、帶愁流去。記當日、門掩梨花，剪燈深夜語。（綺羅香）愁損玉人，日日畫闌獨凭。（雙雙燕）恐鳳靴，挑菜歸來，萬一灞橋相見。（東風第一枝）自憐詩酒瘦，難應接、許多春色。（喜遷鶯）

《詞眼》：柳昏花暝。

《梅溪詞·水龍吟·陪節欲行留別社友》云：道人越布單衣，興高愛學蘇門嘯。有時也伴，四佳公子，五陵年少。歌裏眠香，酒酣喝月，壯懷無撓。楚江南，每爲神州未復，闌干靜，慵

登眺。今日征夫在道，敢辭勞、風沙短帽。休吟稷穗，休尋喬木，獨憐遺老。同社詩囊，小窗針綫，斷腸秋早。看歸來，幾許吴霜染鬢，驗愁多少。（按梅溪曾陪使臣至金，故有此詞。）

高觀國《竹屋癡語·齊天樂·中秋夜懷梅溪》云：晚雲知有關山念，澄霄卷開清霽。素景中分，冰盤正溢，何啻嬋娟千里？危闌静倚，正玉管吹凉，翠觴留醉。記約清吟，錦袍初唤醉魂起。孤光天地共影，浩歌誰與舞，凄凉風味？古驛烟寒，幽垣夢冷，應念秦樓十二。歸心對此，想斗插天南，雁横遼水。試問姮娥，有愁能爲寄？

高觀國

觀國字賓王，山陰人。有《竹屋癡語》一卷。

陳唐卿云：竹屋、梅溪詞，要是不經人道語，其妙處，少游、美成不及也。

張叔夏云：竹屋、白石、夢窗、梅溪，俱能特立清新之意，删削靡曼之詞，自成一家。

齊天樂

碧雲缺處無多雨，愁與去帆俱遠。倒葦沙閑，枯蘭溆冷，寥落寒江秋晚。樓陰縱覽，正魂怯清吟，病多依黯。怕挹西風，袖羅香自去年減。　風流江左久客，舊游得意處，珠簾曾捲。載酒春情，吹簫夜約，猶憶玉嬌香怨。塵栖故苑，嘆璧月空檐，夢雲飛觀。送絶征鴻，楚峰烟數點。

玉樓春　宫詞

幾雙海燕來金屋，春滿離宫三十六。春風剪草碧纖纖，春雨浥花紅撲撲。　衛姬鄭女腰如束，齊唱陽關新製曲。曲終移宴起笙簫，花下晚寒生翠縠。

金人捧露盤 水仙

夢湘雲，吟湘月，吊湘靈。有誰見、羅襪塵生？凌波步弱，背人羞整六銖輕。娉娉裊裊，暈嬌黃、玉色輕明。香心靜，波心冷，琴心怨，客心驚。怕佩解、却返瑤京。杯擎清露，醉春蘭友與梅兄。暮烟萬頃，斷腸是、雪冷江清。

又 梅

念瑤姬，翻瑤佩，下瑤池。冷香夢、吹上南枝。羅浮路杳，憶曾清晚見仙姿。天寒翠袖，可憐是、倚竹依依。溪痕淺，雲痕凍，月痕淡，粉痕微。江樓怨、一笛休吹。芳香待寄，玉堂烟驛雨凄迷。新愁萬斛，爲春瘦、却怕春知。

祝英臺近

一窗寒，孤燼冷，獨自個春睡。綉被薰香，不是舊風味。靜聽滴滴檐聲，驚愁攪夢，更不管、庾郎心碎。念芳意，一并十日春風，梅花瞧憔悴。懶做新詞，春在可憐裏。幾時挑菜踏青，雲沉雨斷，盡分付、楚天之外。

思佳客

剪翠衫兒穩四停，最憐一曲鳳簫吟。同心羅帊輕藏素，合字香囊半影金。春思悄，畫窗深，誰能拘束少年心。鶯來驚碎風流膽，踏動櫻桃葉底鈴。

霜天曉角

春雲粉色，春水和雲濕。試問西湖楊柳，東風外、幾絲碧？望極，連翠陌，蘭橈雙槳急。欲訪莫愁何處？ 旗亭在、畫橋側。

風入松

捲簾日日恨春陰，寒食新晴。馬蹄只向南山去，長橋愛、花柳多情。紅外風嬌日暖，翠邊水秀山明。 杜郎歌酒過平生，到處蓬瀛。醉魂不入重城晚，穠歡寄、桃葉桃根。綉被嫩寒清曉，鶯啼喚起春醒。

謁金門

烟墅瞑，隔斷仙源芳徑。雨歇花梢魂未醒，濕紅如有恨。 別後香車誰整，怪得畫橋春靜。碧漲平湖三十頃，歸雲何處問。

《詞旨·屬對》：倒葦沙閑，枯蘭溆冷。

《警句》：新愁萬斛，爲春瘦，却怕春知。（金人捧露盤）鶯愁攬夢，更不管、庾郎心碎。（祝英臺近）

《詞眼》：玉嬌香怨。

劉鎮

鎮字叔安，南海人。嘉泰二年進士，學者稱爲隨如先生。有《隨如百詠》。

劉潛夫云：麗不致褻，新不犯陳，周、柳、辛、陸之能，庶乎兼之。

玉樓春 東山探梅

泠泠水向橋東去，漠漠雲歸溪上住。疏風淡月有來時，流水行雲無覓處。　佳人獨立相思苦，薄袖欺寒修竹暮。白頭空負雪邊春，著意問春春不語。

《隨如百詠·丙戌清明和章質夫韵·水龍吟》云： 弄晴臺館收烟候，時有燕泥香墜。宿酲未解，單衣初試，騰騰春思。前度桃花，去年人面，重門深閉。記彩鸞别後，青驄歸去，長亭路，芳塵起。十二屏山遍倚，任蒼苔、點紅如綴。黄昏人静，暖香吹月，一簾花碎。芳意婆娑，緑陰風雨，畫橋烟水。笑多情司馬，留春無計，濕青衫泪。

張輯

張輯字宗瑞，號東澤，鄱陽人。連江太守思順之子，有《東澤綺語債》二卷。

朱湛盧云： 東澤得詩法於姜堯章，世所傳《欸乃集》，皆以爲月下謫仙復作，不知其又能詞也。其詞皆以篇末之語立新名云。

疏簾淡月

梧桐雨細，漸滴作秋聲，被風驚碎。潤逼衣篝，綫裊蕙爐沉水。悠悠歲月天涯醉，一分秋、一分憔悴！紫簫吹斷，素箋恨切，夜寒鴻起。　又何苦、凄涼客裏，負草堂春緑，竹溪空翠。落葉西風，吹老幾番塵世。從前諳盡江湖味，聽商歌、歸興千里。露侵宿酒，疏簾淡月，照人無寐。

山漸青

山無情，水無情，楊柳飛花春雨晴。征衫長短亭。　擬行行，重行行，吟到江南第幾程？江南山漸青。

謁金門

花半濕，睡起一簾晴色。千里江南真咫尺，醉中歸夢直。　前度蘭舟送客，雙鯉沉沉消息。樓外垂楊如此碧，問春來幾日？

念奴嬌

嫩涼生曉，怪得今朝，湖上秋風無迹。古寺桂香山色外，腸斷幽叢金碧。驟雨俄來，蒼烟不見，苔徑孤吟屐。繫船高柳，晚蟬嘶破愁寂。　且約携酒高歌，與鷗相好，分坐漁磯石。算只藕花知我意，猶把紅芳留客。樓閣空濛，管弦清潤，一水盈盈隔。不如休去，月懸良夜千尺。

祝英臺近

竹間棋，池上字，風日共清美。誰道春深，湘綠漲沙觜。更添楊柳無情，恨烟顰雨，却不把、扁舟偷繫。　去千里，明日知幾重山，後朝幾重水？對酒相思，爭似且留醉！　奈何琴劍匆匆，而今心事，在月夜、杜鵑聲裏。

《詞旨·警句》：　悠悠歲月天涯醉，一分秋、一分憔悴！（疏簾淡月）落葉西風，吹老幾番塵世。（同上）露侵宿酒，疏簾淡月，照人無寐。（同上）算只藕花知我意，猶把紅芳留客。（念奴嬌）

《詞眼》：　恨烟顰雨。

《東澤綺語債》：　馮可遷號予爲東仙，故賦《東仙寓·沁園春》云：『東澤先生，誰説能詩，興到偶然。但平生心事，落花啼鳥；　多年盟好，白石清泉。家近宫亭，眼中廬阜，九疊屏開雲錦邊。出門去，且掀髯大笑，有釣魚船。一絲風裏嬋娟，愛月在滄浪上下天。更叢書觀遍，筆床静晝；　篷窗睡起，茶竈疏烟。黄鶴來遲，丹砂成未，何日風流葛稚川？　人間世，聽江湖詩友，號我東仙。』

李　石

石字知幾，號方舟，資陽人。乾道中進士，以薦任太學博士，出爲成都倅，仕至都官員外郎。有《方舟集》。

木蘭花令

轆轤軛軛門前井，不道隔窗人睡醒。柔絲無力玉琴寒，殘麝徹心金鴨冷。　一鶯啼破簾櫳靜，紅日漸高花轉影。起來情緒寄游絲，飛絆翠翹風不定。

《花草粹編》：李知幾《臨江仙》云：『烟柳疏疏人悄悄，畫樓風外吹笙。倚闌聞唤小紅聲。熏香臨欲睡，玉漏已三更。坐待不來來又去，一方明月中庭。粉墻東畔小橋橫。起來花影下，扇子撲流螢。』

李　泳

泳字子永，號蘭澤，盧陵人。嘗爲溧水令。與兄洪子大、漳子清、弟浙子秀、泩子召著《李氏華萼集》五卷，侄倫爲序。

定風波

點點行人趁落暉，摇摇烟艇出漁扉。一路水香流不斷，零亂。春潮緑浸野薔薇。　南去北來愁幾許？登臨懷古欲沾衣。試問越王歌舞地，佳麗。只今惟有鷓鴣啼！

清平樂

亂雲將雨，飛過鴛鴦浦。人在小樓空翠處，分得一襟離緒。　片帆隱隱歸舟，天邊雪捲雲游。今夜夢魂何處？　青山不隔人愁。

《夷堅志》：大江富池縣，有甘寧將軍廟，殿宇雄偉，行舟過之者，必具牲醴祇謁。李子永嘗自西下，舟次散花洲，有神鴉飛立檣竿，久之東去，即遇便風。晡時抵岸步，青蛇激箭而來，至舟尾不見。是夕犧舟，明日賽神。其前大樓七間尤壯偉，郡守周少隱采東坡詞語扁爲『卷雪』。子永作詩曰：『卷雪樓前萬里江，亂峰卓立森旗槍。上有廿公古祠宇，節制洪流掌風雨。廿公一去逾千年，至今忠氣猶凛然。我來再拜攬陳迹，斜陽白鳥橫蒼烟。』初題梁間時，本云『英威凛然』，如有人掣其肘，乃改爲『忠氣』。又賦《望月·水調歌頭》云：『危樓雲雨上，其下水扶天。群山四合，飛動寒翠落檐前。盡是秋清闌檻，一笑波翻濤怒，雪陣卷蒼烟。炎暑去無迹，青駛久翩翩。夜將闌，人欲静，月初圓。素娥弄影，光射空際緑嬋娟。不用濯纓垂釣，唤取龍宫仙駕，耕此萬瓊田。橫笛望中起，吾意已超然。』及旦移舟，神鴉、青蛇送至長風沙而止。

鄭 域

俗本作陸域，誤。

域字中卿，號松窗，三山人。慶元丙辰，隨張貴謨使金。有《燕谷剽聞》二卷，記北庭事甚詳。

昭君怨 梅

道是花來春未，道是雪來香异。水外一枝斜，野人家。 冷落竹籬茅舍，富貴玉堂瓊樹。兩地不同栽，一般開。

王 嵎

嵎字季夷，號貴英。陳氏《書録解題》：季夷，北海人。紹淳間名士。寓居吴興，陸務觀與之厚善。三子甲、田、申皆登科。有《北海集》。

祝英臺近

柳烟濃，花露重，合是醉時候。樓倚花梢，長記小垂手。誰教釵燕輕分，鏡鸞慵舞，是孤負、幾番晴晝。 自別後，聞道花底花前，多是兩眉皺。又説新來，比似舊時瘦。須知兩意常存，相逢終有，莫謾被、春光僝僽。

夜行船

曲水濺裙三月二，馬如龍、鈿車如水。風颺游絲，日烘晴晝，人共海棠俱醉。　客裏光陰難可意，掃芳塵、舊游誰記？　午夢醒來，小窗人靜，春在賣花聲裏。

《詞旨·警句》：春在賣花聲裏。（夜行船）

蔡松年

松年字伯堅，從父靖除真定府判官，遂爲真定人。仕金，官至尚書右丞相，封衛國公，自號蕭閑老人。卒謚文簡。工樂府，與吳彥高齊名，號『吳蔡體』。有《蕭閑公集》六卷。

鷓鴣天　賞荷

秀樾橫塘十里香，水光晚色静年芳。燕支膚瘦薰沉水，翡翠盤高走夜光。　山黛遠，月波長，暮雲秋影照瀟湘。醉魂應逐凌波夢，分付西風此夜涼。

王若虚《滹南集·詩話》云：蕭閑樂善堂賞荷詞『胭脂膚瘦薰沉水，翡翠盤高走夜光』世多稱之。此句誠佳，然蓮體實肥，不宜言瘦，予友彭子升嘗易『膩』字，此似差勝。

尉遲杯

紫雲暖，恨翠雛、珠樹雙栖晚。小花静院逢迎，的的風流心眼。紅潮照玉碗，午香重、草綠宮羅淡。喜銀屏、小語私分，麝月春心一點。　華年共有好願，何時定妝鬟，暮雨零亂。夢似花飛，人歸月冷，一夜曉山新怨。劉郎興、尋常不淺，況不似、桃花春溪遠。覺情隨、曉馬東風，病酒餘香相半。

《歸潛志》云：蔡丞相伯堅嘗奉使高麗，爲館妓賦《石州慢》云：『雲海蓬萊，風霧鬢鬟，不假梳掠。仙衣卷盡霓裳，方見宫腰纖弱。心期得處，世間言語非真，海犀一點通寥廓。無物比情濃，與無情相博。離索，曉來一枕餘香，酒病賴花醫却。瀲灧金尊，收拾新愁重酌。半帆雲影，載得無限關山，夢魂應被楊花覺。梅子雨絲絲，滿江千樓閣。』高麗故事，上國使來，館中有侍妓，蔡之『仙衣卷盡霓裳，方見宫腰纖弱』，不免爲人疵議之矣。

《溽南詩話》：蕭閑云『風頭夢雨吹無迹』，蓋雨之至細者，若有若無，謂之夢，田夫野婦皆道之。賀方回有『風頭夢雨吹成雪』之句。**又云**：蕭閑憶恒陽家山云：『好在斜川三尺玉。』公宅前有池可三畝，號小斜川。**又**：自鎮陽還兵府，贈離筵乞言者云：『待人間、覓個無情心緒，著多情換。』此篇有恨别之意，故以情爲苦而還羡無情，終章言之宜矣。

《中州樂府》：蔡松年《聲聲慢·凉陘寄内》云：『青蕪平野，小雨千峰，還成暮陘寒色。裁剪芸窗，憶得伴人良夕。遥憐幾重眉黛，恨相逢、少於行役。梨花泪，正宫衣春瘦，曉紅無力。應怪浮雲夫婿，不解趁新醅，醉眠凉月。怨入關山，西去又傳消息。誰知倦游心事，向年來、苦思泉石？人未老，約間峰、多占秀碧。』

韓　疁

疁字子耕，號蕭閑。**《文獻通考》**：韓疁有《蕭閑詞》一卷。

高陽臺　除夕

頻聽銀籤，重燃絳蠟，年華衮衮驚心。餞舊迎新，能消幾刻光陰。老來可慣通宵飲，待不眠、還怕寒侵。掩清尊、多謝梅花，伴我微吟。　鄰娃已試春妝了，更蜂枝簇翠，燕股横金。勾引春風，也知芳意難禁。朱顔那有年年好，逞艷游、贏取如今。恣登臨、殘雪樓臺，遲日園林。

浪淘沙

莫上玉樓看，花雨斑斑。四垂羅幕護朝寒。燕子不知春去也，飛認欄杆。　回首幾關山，後會應難。相逢只有夢魂間。可奈夢隨春漏短，不到江南。

又　豐樂樓

裙色草初青，鴨鴨波輕。試花霏雨濕春晴。三十六梯人不到，獨喚瑶箏。　艇子憶逢迎，依舊多情。朱門只合鎖娉婷。却逐彩鸞歸去路，香陌春城。

《武林舊事》云：豐樂樓在涌金門外，舊爲衆樂亭，又改聳翠樓，政和中改今名。淳祐間，趙京尹與𥲅重建，宏麗爲湖山冠。又甃月池立秋千梭門，植花木，構數亭，春時游人繁盛。舊爲酒肆，後以學館致爭，但爲朝紳同年會拜鄉會之地。吴夢窗嘗大書所作《鶯啼序》於壁，一時爲人傳誦。

《詞旨·警句》：試花霏雨濕春晴。（浪淘沙）

錢唐汪　沆
陳　臯同校勘

絶妙好詞箋卷二終